CONTES ET RÉCITS DE L'OUTAOUAIS

Collection PATRIMOINE

MARC SCOTT

CONTES ET RÉCITS DE L'OUTAOUAIS

avec la collaboration de

FRANCE VIAU et
CATHERINE GAGNÉ CÔTÉ

Le Chardon Bleu

Cet ouvrage a été publié grâce à une subvention de la
FONDATION FRANCO-ONTARIENNE

Tableau de la couverture

Germain Larochelle
«Quêteux de ma jeunesse»
(huile 35,5cm X 45,7cm)

Illustrations : **Nadia Fauteux**

* * *

DIFFUSION

Les Éditions du Chardon Bleu

au Québec : 27, rue Miner
Buckingham (Québec) J8L 3P7

en Ontario : C.P. 14
Plantagenet (Ontario) K0B 1L0

ISBN 1-896185-02-9

Publications du même auteur :

Aux éditions du Chardon Bleu

Collection POÉSIE NOUVELLE :

Collectif. **Miscellanées** (poèmes, 1994)

Collection PATRIMOINE :

Contes et Récits de l'Outaouais (1996)

Au Centre franco-ontarien des ressources pédagogiques

Collection DIRE ET RIRE

La fille prodigue (théâtre, 1996)

Les petits pois de Pierre Pommerleau (théâtre, 1996)

Terreur dans l'église (théâtre, 1996)

La rivière des Outaouais

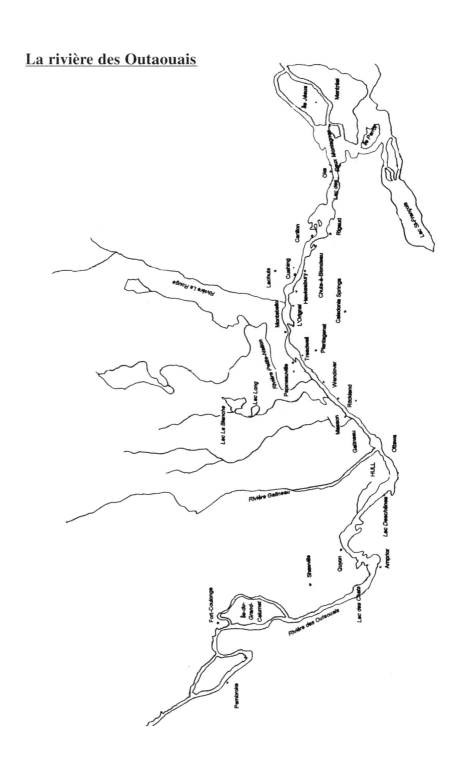

À Alexandre et Sandrine

AVANT-PROPOS

La rivière des Outaouais[1] est l'une des premières routes qui conduisit les explorateurs blancs à l'intérieur du nouveau continent. Les coureurs de bois la préfèrent à toute autre pour s'approvisionner en pelleteries : Radisson et Des Groseillers l'ont parcourue en long et en large. Les «Raftmen» du XIXe siècle en font une voie de transport qui révolutionne l'industrie des pâtes et papiers.

Cette rivière est aussi, depuis un certain temps, une frontière naturelle entre le Québec et l'Ontario. Ce cours d'eau qui sépare a très longtemps été un chemin d'accès qui unissait les deux territoires plutôt que de les diviser. La preuve n'est plus à faire : dans l'Est ontarien vit la plus importante concentration de francophones de l'Ontario; dans le Pontiac québécois, les anglophones tardent à se franciser, car ils continuent de vivre à l'heure de l'Ontario.

Encore à l'aube d'un nouveau millénaire, la rivière des Outaouais rapproche les individus des deux provinces bien plus qu'elle ne les sépare. Par sa situation géographique de même que grâce à son étendue, elle devient au fil des siècles le foyer de nombreux exploits et le lieu de naissance des plus beaux contes et des plus belles légendes que nous connaissions.

Tout de suite nous viennent à l'idée les noms de Dollard des Ormeaux, de Cadieux et de Jos Montferrand, les personnages sans doute les plus illustres de notre région.

Mais, qui n'a pas entendu parler de Womena, cette princesse algonquine à qui nous devons la Légende du Lac des Fées? Et que dire de Julie de Salvail? Et de Jean-Sébastien Le Coq? Et d'Éloïse de la Sorbetière? Et d'André Gagnon? Ou même de Laurent Scott? Peut-être sont-ils moins connus; mais leurs exploits, leurs aventures et leurs passions méritent qu'on les découvre...

Que ce soit à Rigaud ou à Caledonia Springs, à Hull ou à Wendover, sur l'île-du-Grand-Calumet ou près de L'Orignal, les berges de la rivière des Outaouais regorgent de héros et d'héroïnes qui nous ont fait vibrer par le passé et que nous gagnerions à redécouvrir, ne serait-ce que par nostalgie du passé, par fierté de nos ancêtres ou tout simplement par pur divertissement.

Sans prétendre faire une compilation exhaustive de tous les contes, de toutes les légendes et de tous les faits d'armes de notre passé commun, **Contes et Récits de l'Outaouais** est une anthologie qui cherche à redonner, aux gens d'ici et d'ailleurs, le goût de vivre au diapason de notre histoire, en donnant des versions modernes et vivantes de certains de nos plus beaux récits régionaux.

Bonne lecture.

LA LÉGENDE DU LAC DES FÉES[2]

Au printemps de 1615, Samuel de Champlain remonta la rivière des Outaouais une deuxième fois[3], à la recherche de son interprète Nicolas de Vignau qu'il avait confié l'année précédente à une tribu installée sur la rive nord. Nicolas de Vignau vivait avec la tribu de la Petite Nation car il maîtrisait bien leur dialecte et il devait tenter de connaître la route vers le Grand Nord.

Champlain fut surpris de ne pas trouver son homme à la hauteur de la rivière Ouescharini[4] où il l'avait installé. Il continua de monter la rivière des Outaouais jusqu'à la Chute de la Chaudière: c'est là que se trouvait Vignau, accompagnant le chef Tessouat et quelques membres de la tribu Ouescharini. Lorsque Champlain mit pied à terre, le chef le reçut dans ses quartiers; après les cérémonies protocolaires d'usage, tout le monde a fait tabagie[5] et c'est là que le navigateur français apprit la véritable raison pour laquelle le grand chef vieillissant se trouvait dans cette région.

L'interprète traduisit les paroles du chef, à la lueur d'un petit feu qui éclairait à peine les figures des voyageurs :

«Mon peuple venait chaque année sur ces terres intérieures, près du Lac aux Eaux profondes[6] y cultiver le maïs, y chasser le petit gibier, y surprendre le caribou et y éloigner le carcajou.

«J'étais chef depuis quelques lunes déjà quand ma compagne donna naissance à une fille qui fut appelée Womena, après avoir consulté les esprits. J'ai refusé de voir ma fille et j'ai répudié ma femme qui ne m'avait pas donné de fils...

«Le sorcier du village, après avoir dialogué avec les esprits, m'apprit que le courroux de Manitout s'était abattu sur notre peuple de mauviettes : il m'avait envoyé une fille pour punir mon pacifisme, ma propension à éviter les conflits, à contourner les terres des autres peuples. Je n'aurai pas de fils tant que j'empêcherai mon peuple de se glorifier dans son sang et dans celui des autres.

«Alors, j'entrepris de former mes hommes aux arts du combat, aux stratégies guerrières, à l'art de l'embuscade et enfin, malgré toutes mes croyances, aux différentes façons de tuer.

«Curieusement, mes guerriers se familiarisèrent très vite à ces techniques mortelles. Les jeunes braves, surtout, semblaient trouver un réel plaisir à se battre, blessant à quelques reprises certains de leurs confrères. J'ai dû intervenir une fois pour éviter la décapitation d'un de mes neveux, plus chétif et plus frêle que les autres.

«C'est à ce moment que, Bison-Fonceur leva la main sur moi; mais un autre guerrier s'interposa : Aigle-Hautain. J'ai rencontré ces deux jeunes hommes quelque peu rétifs et fringants dans ma tente : nous avons palabré et fumé toute la nuit. À l'aube, j'en avais fait mes deux "assistants" et ça les avait rapprochés l'un de l'autre. C'est à eux que j'ai confié la stratégie de notre première attaque.

«Il fut décidé qu'Aigle-Hautain se montrerait à l'adversaire avec quelques dizaines de guerriers pendant que Bison-Fonceur ferait un large demi-cercle à la gauche des opposants pour se rabattre sur eux par derrière avec cent trente vaillants guerriers.

«Ce qui fut dit, fut fait.

«Mes guerriers revinrent avec des vivres et des histoires gaillardes que j'éprouvais de la difficulté à comprendre. J'invitai derechef mes deux "assistants" sous mon toit. Oui, ils avaient attaqué à l'aube; non, ils n'avaient connu aucune résistance; il n'y avait que femmes, vieillards et enfants... Oui, ils avaient pillé les réserves; oui, ils avaient violé les femmes; oui, ils avaient tué les vieux après les avoir torturés... Oui, ils avaient fait assister les enfants à toutes ces atrocités pour qu'ils les racontent...

«J'étais estomaqué! Ma fille avait quitté la maison au début du récit. Par dégoût? par dépit? Ou était-ce de voir le sourire et la joie illuminer les figures de mes deux chevaliers qui l'avait fait fuir.

«Comment cela se pouvait-il? Qu'avais-je fait de mon peuple en si peu de temps? Pourquoi Manitout s'acharnait-il contre moi? Je résolus de ne plus laisser de telles horreurs se produire, mais c'était sans compter sur mes deux acolytes.

«Le lendemain, ils appelèrent un conseil de bande... Jusqu'ici j'étais le seul à le faire. Nos coutumes ne sont pas régies si strictement que les vôtres: pas de textes écrits, pas d'hommes de lois. Mon peuple vit avec une seule règle : faire ce qui est bon pour l'homme! Toute dérogation entraîne l'exil et la solitude. Alors, si mes deux jeunes guerriers convoquent un conseil de bande, il n'y a rien de mal à cela : il faut plutôt attendre ce qui s'y dira pour porter un jugement. Et c'est la bande qui décide, pas seulement le chef... Quoique, habituellement, la bande se range du côté du chef qui a droit de parole à la fin des discussions...

«Le soir, autour du feu, les femmes et les hommes se sont rassemblés et attendent silencieusement, presque résignés le début des palabres. Tous les adultes y sont; les enfants sont couchés... Aigle-Hautain se lève : <Nous nous sommes battus, encouragés par notre chef! Nous avons vaincu : une nouvelle fierté s'est installée dans nos coeurs. Nous sommes de vrais chasseurs, de vrais prédateurs, de vrais Algonquins. Manitout a appuyé nos gestes : peu d'Algonquins sont partis le rejoindre dans la bataille. J'ai dit!>

«Puis, ce fut au tour de Bison-Fonceur de s'adresser à la bande. Il ne se leva pas, il parla doucement : <Défendre son territoire de chasse contre l'intrus, c'est une question de survie; combattre pour repousser les autres de nos terres de culture, c'est aussi une question de survie; protéger nos femmes, nos enfants et nos parents, c'est encore une question de survie. La survie, c'est bon pour l'homme. Ce que nous avons fait, guidé par notre chef, c'est bon pour notre peuple. J'ai dit!>

«Il avait bien parlé, jouant sur les valeurs séculaires de notre peuple, parlant de la survie, une réalité quotidienne, un combat constant, bref la seule loi de la nature.»

Le chef s'arrêta de parler pour pétuner[7]. Il offrit le calumet à Champlain qui accepta d'emblée cette deuxième occasion de lier son esprit à celui de Tessouat. Après quelques instants, il pressentit un grave malheur et insista auprès de son interprète pour qu'il incite le chef algonquin à poursuivre son récit.

«Quelques anciens prirent ensuite la parole pour condamner le massacre gratuit qui s'était déroulé au sud de cette rivière. Mais les jeunes guerriers ne les écoutaient plus...

«La nuit avançait lorsque vint le temps de clore les discussions. Je me levai donc et je marchai autour du feu une fois, puis une deuxième, les yeux tournés au ciel, comme pour implorer l'aide du Grand Esprit. J'avais parfois employé ce stratagème qui avait l'heur d'intimider mon peuple et de le forcer à un plus grand respect des mots que j'allais dire. Voyant que tous avaient baissé la tête en signe de recueillement, j'abordai ainsi ce que je voulais être mon dernier stratagème :

<Aigle-Hautain est un fier guerrier et je sens mon sang couler dans ses veines : il est mon digne successeur. (Des murmures de surprises parcoururent les rangs. Je fis une pause, puis me dirigeai vers Bison-Fonceur). - Celui-ci a parlé de la Loi de mon peuple : faire ce qui est bon pour nous tous! Bison-Fonceur, ton raisonnement me plaît; c'est pourquoi je t'offre ma fille Womena, si tu la désires et si elle accepte de te suivre... (Encore une fois, des murmures s'élevèrent, perplexes. Et Aigle-Hautain tomba dans le piège : il se leva et défia ma parole).

- Tessouat! Tu ne peux donner ta fille à Bison! C'est à moi qu'elle revient. Je serai le prochain chef!

- À condition que mon peuple te choisisse, dis-je doucement. Puis j'ajoutai : «Laisse-moi parler! Reprends le rang et écoute ma parole!» À contrecoeur, il a reculé et s'est assis. C'est le moment qu'a choisi Bison-Fonceur pour se lever à son tour et interpeller la foule :

- Tessouat! Aujourd'hui, tu es le chef et tu parles sagement; fier de tes deux assistants, tu nous offres ce que tu possèdes de plus précieux : ton peuple et ta descendance. J'accepte ta fille Womena dans ma tente dès ce soir, si elle le désire. Ton peuple décidera en temps et lieu qui d'Aigle-Hautain ou de Bison-Fonceur te succédera... J'ai dit!

- J'ai à parler encore avant que nous prenions une décision. Écoutez maintenant, sans interrompre Tessouat!... Nous avons formé des guerriers et nous avons combattu, parce que Manitout le voulait. Nous avons pillé, tué et massacré, non pas des guerriers, mais des êtres sans défense, des vieillards, des femmes, des enfants... Honte à nous! Nous sommes des couards! des pleutres! et Manitout n'a pas voulu cela : il me l'a dit! Manitout m'a révélé sa présence dans un songe et il m'a dévoilé deux vérités. Les voici :

La première, c'est que j'ai eu raison de faire d'Aigle-Hautain et de Bison-Fonceur mes deux lieutenants : ils ont la trempe de combattants courageux et de stratèges intelligents. Ceci s'avérera très utile dans peu de temps.

La deuxième vérité : lorsqu'un peuple commet une lâcheté contre les faibles, il doit s'attendre à voir la vengeance venir à sa rencontre pour lui demander réparation.

Manitout a parlé! Je pense que les jours qui viennent seront des jours remplis. Je demande au conseil de clore le débat et de permettre aux guerriers d'aller se reposer. Je suggère qu'on envoie un éclaireur à la Chute de la Chaudière pour surveiller les mouvements possibles du Sud. J'ai dit!>

«Ce qui fut dit, fut fait. Les adultes se sont levés en silence. On a nommé Immon au poste de garde. Bison-Fonceur s'est dirigé vers Womena, mais elle s'est réfugiée dans ma tente. Je savais que ma nuit de palabres n'était pas terminée. Je me suis assis et j'ai pétuné avec quelques anciens; puis, à la lueur du jour, je suis entré dans ma maison où ma fille m'attendait, visiblement contrariée et agacée par mon jeu.

- Tessouat! Tu n'as pas le droit de me donner! a-t-elle attaqué d'emblée.

- Je t'ai offerte! à condition que tu acceptes...

- À Bison-Fonceur!

- Aurais-tu préféré Aigle-Hautain?

- J'aurais préféré que tu me parles de ton projet. Je suis la fille du chef de la bande. Je suis ta fille, j'ai le droit de savoir. J'ai le droit de choisir!

- Choisis donc, ma fille, puisque c'est ton souhait. Je respecterai ta décision... Maintenant, dors. Moi, je me couche. Demain sera pénible...

«Puis je me suis levé, j'ai éteint le feu de braise et j'ai choisi, contre l'accoutumée, l'endroit le plus éloigné du centre, le plus obscur et je me suis étendu, dos contre la paroi, pour mieux observer ce qui se passerait.

«Womena, accablée, s'est assoupie pendant que le jour entrait par le toit.

«Soudain le volet s'ouvrit et Aigle-Hautain apparut dans l'embrasure :

- Tessouat! Je veux te parler!

«Je fis semblant de dormir. L'entrée du guerrier avait fait sursauter Womena qui se leva :

- Chut! Le chef dort depuis peu. Que lui veux-tu?

- Womena, fille de Tessouat, c'est à toi que je m'adresse maintenant. Je veux... je voudrais te prendre avec moi dans ma tente... si tel est ton désir, ajouta-t-il, hésitant. Je crois m'être montré digne de toi...

- Aigle-Hautain, je ne te reconnais pas : tu parles sans vantardise; tu parles comme si ce que je pense est important. Es-tu honnête?

- Womena, tout ce que je sais, c'est que je te veux près de moi.

- Et Bison-Fonceur?

- Tu l'as évité hier, après le conseil.

- Je devais parler à Tessouat.

- Tu l'as fait, n'est-ce pas?

- Oui.

- Alors?

- Je dois maintenant réfléchir...

- Eh bien! réfléchis, belle Womena!» Puis Aigle-Hautain fit volte-face et sortit aussi rapidement qu'il était entré. Womena tenta, en vain, de le retenir :

- Aigle-Hau...

«Mais qu'aurait-elle pu ajouter, sinon qu'elle le désirait aussi. Tessouat s'appuya sur un coude, ayant suivi la conversation sans manquer un seul mot :

- Il est beau, n'est-ce pas?

- Euh?

- Et fort! et fier!... Mais il est aussi impétueux, colérique et autoritaire. Ce pourrait être un chef très dur pour notre peuple s'il n'avait une femme douce et ferme à la fois à ses côtés.

- Mais, Bison-Fonceur?

- Un homme raisonnable, mesuré, taciturne, au physique moins imposant, mais à l'intelligence plus vive. Mais, au combat, il ne reconnaît plus que le sang qu'il fait couler. Rappelle-toi lorsqu'il a levé le bras contre moi: ses yeux remplis de mauvais esprits m'ont fait trembler et craindre pour ma vie...

- Et c'est Aigle-Hautain qui est intervenu!

- Oui.

- Oh! papa! Si je savais...

- Lequel choisir?

- Oui.

- Womena, le temps est ton compagnon. Attends! Laisse-les agir, laisse-les se découvrir. Épie-les à chaque instant du jour...

- Toi, qui choisirais-tu?

- J'ai déjà choisi : j'ai choisi les deux!

- Tessouat! Tu n'es pas...

- Womena! J'ai choisi les deux, car je sais que chacun, à sa façon, saura mener la bande vers des terres fertiles et la protéger des dangers quels qu'ils soient... Bon, j'ai faim! Je vais manger chez mon frère. Toi, ma fille, dors : les esprits te donneront peut-être conseil.

«Et je suis sorti, laissant ma fille avec toutes ses incertitudes. Mais je connaissais bien Womena : elle arriverait vite à une décision et elle nous la ferait connaître aussitôt. Alors, pourquoi m'en faire? J'avais faim et besoin de chaleur. Mon frère m'a nourri et il m'a prêté sa compagne pour réchauffer ma couche... J'ai dormi, serein, jusqu'au soir, où des cris et des exclamations m'ont tiré du sommeil...

«Je suis sorti de la maison de mon frère. Un groupe de guerriers entouraient Immon revenu de son poste d'observation à la chute. Lorsqu'il m'a aperçu, il s'est approché et j'ai cru déceler dans les yeux de ce frère ordinairement si placide la fin du jour, le temps de la bataille, le soir de notre vie...

- Tessouat! Chef Tessouat! Prépare nos frères! Implore les dieux et les esprits de nos ancêtres! Les Iroquois arrivent... Cent, deux cents longs canots à peine à quelques heures d'ici. Ils seront sur nous avant le soleil : ils nous surprendront dans nos petits wigwams, loin de nos longues maisons, hors de nos palissades.

«Les murmures, les discussions grossirent à mesure que les autres, éveillés par le bruit, se joignaient à nous. Que faire? Essayer de retourner chez nous? Par voie d'eau, pas question : ce serait un face à face sanglant! Par les bois, non plus : avec femmes, vieillards et enfants, nous serions aussi lents que l'arrivée du printemps... Il fallait se battre. C'était évident... Après le massacre dont nous étions responsables, nous devions affronter le courroux de l'Iroquois, l'Indien qui garde rancune.

- Tessouat! Partons à leurs devants!

«C'était Aigle-Hautain qui avait parlé. Derrière lui, Bison-Fonceur s'était approché et il renchérit :

- C'est notre seule chance! Ils sont nombreux! Ici, nous serions sur la défensive; nous nous inquiéterions du sort de nos enfants.

- Si nous allons à leur rencontre, reprit Aigle-Hautain, c'est nous qui les surprendrons, près de la chute, là où ils devront s'arrêter et prendre le temps d'arriver avec leurs longs canots.

- Tessouat! Que dis-tu? demanda Immon.

«Je cherchai du regard les anciens avec qui j'avais palabré la nuit précédente. Ils étaient tous là, mais leurs yeux fixaient le sol et leur bouche restait silencieuse... Les jeunes guerriers, eux, fringants et émotifs, attendaient impatients qu'on donne le départ. Et, curieusement, leur regard était rivé sur Bison-Fonceur et Aigle-Hautain. Je parlai :

- Aigle-Hautain et Bison-Fonceur parlent avec sagesse. Le temps n'est plus aux discussions : allons défendre notre vie! J'ai dit!

«Une clameur s'éleva. Très vite, mes deux lieutenants donnèrent des ordres et les guerriers allèrent chercher couteaux, frondes, tomahawks, lances, arcs, flèches et carquois, car quoi qu'il advienne, la bande savait dorénavant le maniement de ces armes meurtrières. Les autres, trop vieux ou trop faibles pour combattre, préparaient le périple en forêt où ils trouveraient refuge en attendant l'issue de la confrontation. Le tout se déroulait en silence, dans un silence sacré qui semblait avoir arrêté le temps. Les ombres grotesques, les silhouettes furtives glissaient vers leur destinée sans hésitation... D'ores et déjà le sort était jeté : tous le savaient!

« Nous partîmes au pas de course, l'un derrière l'autre, telle une meute de loups affamés. Aigle-Hautain ouvrait le chemin; grâce à mon rang, j'étais juste derrière lui et Bison-Fonceur me flanquait. Les autres, peints d'essences de plantes et de pierres réduites en poudre, suivaient. Un long halètement à peine perceptible traversait cette colonne d'hommes jeunes et forts, prêts au combat, prêts à mourir pour rejoindre Manitout...

«Nous atteignîmes la Chute de la Chaudière bien avant l'aube et avant les longs canots de nos visiteurs. Les guerriers se dispersèrent des deux côtés de la rivière : certains s'introduisaient jusqu'au cou dans l'eau glacée, l'arc bandé et la flèche cachée par les flots, immobiles; d'autres grimpaient au peu d'arbres qui ornaient les rives, préférant les conifères mieux aptes à les camoufler à cette époque de l'année aux arbres bourgeonnant à peine.

«Immon, envoyé derechef en éclaireur, ne revint jamais...

«Nous nous croyions parés; nous pensions les surprendre : c'était mésestimer les Iroquois... Au moment où les premiers longs canots glissèrent sur la rivière à distance d'yeux, le sifflement de leurs flèches nous parvint derrière nous... Ils nous avaient encerclés sans que nous nous en doutions. D'un coup, ces bêtes féroces et sauvages s'abattirent sur nous, dans un tonnerre de cris rauques et de rugissements diaboliques que jamais je n'avais entendu...

«Une fois la surprise passée et les frissons glacés oubliés, nous avons réagi comme des guerriers fiers et remplis de sang-froid, avec une habileté et une précision qui surprirent nos adversaires... Leur respect prit la forme d'une courte retraite pour se rallier avant de sonner la deuxième charge. Aigle-Hautain et Bison-Fonceur vidèrent leur carquois, encourageant les frères à bien viser et à le faire rapidement : c'est que ces diables d'hommes étaient nombreux!

«Ce qui ne devait être qu'une échauffourée, grâce à l'élément de surprise que nous avions cru détenir, se transforma très vite en un affrontement majeur qui dura toute la journée et jusqu'au lendemain matin... À l'aube, nous nous sommes curieusement retrouvés seuls sur le champ de bataille. J'envoyai quelques guerriers en éclaireurs et ils revinrent vite me dire que les longs canots avaient disparu et qu'aucun cadavre iroquois ne jonchait le sol. C'était comme si nous avions été victimes d'une attaque fantôme : il ne subsistait aucune trace de nos agresseurs si ce n'était nos morts, nos blessés, notre sang et les flèches qui en avaient occis plusieurs...

«Nous avons soigné les blessés, pansé les plaies, fabriqué grabats et civières, toujours aux aguets et en silence. Mais rien! pas un bruit, pas un son, sinon les quelques râles de nos mourants. Nous avons attendu que le soleil se couche pour plier bagages et retourner près du Lac aux Eaux profondes, par mesure de précaution.

«Nous avons repoussé l'agresseur, grâce à notre courage et à notre adresse, grâce aussi à Manitout qui nous a appuyés tout au long de cette bagarre. Mais c'était au prix de lourdes pertes : plus de la moitié de nos guerriers étaient morts ou grièvement blessés; d'autres devaient soigner des plaies et des blessures pour éviter toute infection qui pourrait s'avérer fatale.

«C'est en silence que le cortège s'anima et disparut lentement entre les arbres pour aller rejoindre les enfants, les femmes et les vieillards laissés derrière... Mes hommes étaient vannés, épuisés, fourbus, crevés, exténués, brisés, las : c'étaient les esprits qui les tenaient sous les aisselles et les poussaient à avancer; c'étaient l'esprit de la Victoire, l'esprit de la Gloire, mais surtout l'esprit de la Survie; c'était le fait de savoir que Manitout les avait épargnés pour qu'ils annoncent aux leurs les affres de la guerre, les souffrances de l'angoisse et la joie douce-amère d'avoir vaincu...

«Nous arrivâmes près du Lac aux Eaux profondes au milieu de la nuit, croyant ne trouver que des êtres endormis, sauf les sentinelles qui faisaient le guet. Tous les membres de la tribu nous attendaient en silence, comme en pleine vigile. Ils ne tardèrent pas à s'avancer, à embrasser les survivants, à soigner les blessés, à emporter les morts, les yeux reconnaissants parce que

Manitout avait daigné épargner quelques hommes pour refaire notre peuple...

«C'est le moment que choisit Womena pour s'approcher de moi et me demander où étaient Aigle-Hautain et Bison-Fonceur et je dus lui dire la vérité.

- Womena, la vérité, c'est que nous ne le savons pas! Nous n'avons pas trouvé leur corps ni leurs armes ni quoi que ce soit qui ait pu leur appartenir!... Ils ont combattu âprement à nos côtés durant toute la nuit et une bonne partie de la journée, ne ménageant pas les efforts et les cris d'encouragement... Puis, plus rien... On ne les entendait plus, comme s'ils étaient disparus de la Terre... Ils ont sans doute été faits prisonniers et les Iroquois les ont mis à mort lentement, comme ils ont l'habitude de le faire...

«Womena s'éloigna en courant vers le lac. J'envoyai Messoui à ses trousses, le conjurant de garder ses distances pour permettre à ma fille de faire son deuil... Il suivit si bien mes instructions qu'il ne la vit pas plonger dans le Lac aux Eaux profondes et revint bredouille au petit matin.

«Nous avons trouvé le corps de Womena à trois pas de la berge, sous quelques longueurs d'eau. Son esprit l'avait déjà quittée depuis un certain temps. Pendant les préparatifs de la tribu, qui voulait retourner près de la rivière Ouescharini y enterrer ses morts, je m'installai sur le promontoire qui s'avançait au-dessus du lac, cette saillie où ma fille avait choisi de quitter la vie, cette falaise qui avait eu raison du désespoir de ma progéniture. Je m'assis sur ce cap, je regardai le reflet du soleil couchant sur l'eau scintillante et je pleurai...

«Le soir se levait lorsque j'entendis les premières voix, celles de Bison-Fonceur et d'Aigle-Hautain : elles appelaient Womena, la conviant à un rendez-vous galant. Je levai les yeux et aperçus l'esprit de mes deux lieutenants tourner autour du lac, s'entrechoquant, se croisant, se traversant, se côtoyant et redisant les mêmes mots : "Womena! qui choisis-tu? Viens avec moi et je te rendrai heureuse! - Non! ne l'écoute pas, Womena! Choisis-moi et tu ne le regretteras pas!"

«Puis, ce fut comme une lueur bleuâtre qui vint des tréfonds des eaux et s'amena à la surface pour reprendre un refrain que je connaissais déjà : "Je vous aime tous les deux! Patientez, je n'ai pas choisi encore! Revenez, laissez-moi un peu de temps, laissez-moi réfléchir".

«C'était la voix de ma fille, à la fois douce comme une plainte et lancinante comme les stigmates de quelque blessure au coeur...»

Tessouat s'était tu. Il avait achevé son récit. Il avait donné la raison de sa présence près du Lac aux Eaux profondes... Vignau baissa les yeux. Champlain respecta le recueillement du chef. Ses matelots, perplexes, regardaient les flammes s'endormir devant eux, un peu ennuyés par cette histoire de fantômes. Champlain demanda enfin : «Vous faites ce pèlerinage depuis longtemps?»

Tessouat se leva, fit quelques pas, comme s'il se dirigeait vers le lac, puis s'arrêta, fit volte-face et jeta, laconique : «Depuis toujours». Il attendit que Vignau traduise ces derniers mots et s'éloigna du groupe... Des miroitements lumineux apparurent, dansant au-dessus des têtes des visiteurs. Champlain fit taire les «Oh!» et les «Ah!» de ses hommes et l'on crut entendre, à quelques pas de là, juste à l'endroit où se trouvait le Lac des Fées : «Womena! qui choisis-tu, Womena? Nous le diras-tu enfin?»...

ADAM DOLLARD DES ORMEAUX[8]

Le gouverneur de Ville-Marie, Paul de Chomedey de Maisonneuve, est assis derrière son bureau et prise un peu de tabac pendant qu'il constate l'état lamentable dans lequel se trouve ce poste qu'il fonda en 1642.

Les dossiers posés devant lui, en ce matin du 13 avril 1660, lui révèlent ce qu'il sait depuis un certain temps : les attaques successives des Iroquois contre ses compatriotes et leurs alliés amérindiens sonnent le glas de la colonie française en Amérique.

Dès 1641, les Cinq Nations iroquoises - Agniers, Onontagués[9], Onneyouts[10], Goyogouins et Tsonnontouans[11] - jurent de décimer tous les Français lorsqu'ils apprennent l'intention de ces derniers de s'installer à Ville-Marie[12].

C'est que les Iroquois aspirent à devenir les seuls fournisseurs de fourrures des Européens et ils craignent, non sans raison, de perdre l'accès aux Grands Lacs, à la rivière des Outaouais et à la rive nord du Saint-Laurent, toutes des régions très riches en animaux à fourrure.

À partir de 1642, et ce jusque vers 1659, ces Sauvages[13] brûlent les forts, pillent les convois de pelleteries, tuent des Français et des Indiens alliés par dizaines... Ils s'approprient l'embouchure de la rivière Richelieu, exterminent presque toute la nation huronne, installée près de la baie Georgienne, et contrôlent la quasi-totalité de la rivière des Outaouais.

Maisonneuve se rappelle ses deux voyages en France, en 1653 et 1657, où il a recruté des soldats pour défendre sa bourgade et des femmes pour aider à la peupler. Il a fait fortifier la ville naissante, secondé par le major Lambert Closse, chef de garnison ici même...

Mais, que peut-il contre ces Iroquois qui se sont assuré, en quelque vingt ans, la mainmise sur les voies navigables conduisant à Ville-Marie? Que peut-il contre ces guerriers impitoyables qui empêchent les vivres de se rendre chez lui? Car il s'agit bien de vivres, puisque la colonie, au bord de la faillite et accumulant les dettes, a besoin des denrées essentielles à la survie de ses habitants...

Après tout, la Nouvelle-France vit principalement - j'allais dire exclusivement, pense le gouverneur - du commerce des fourrures et ce conflit perpétuel menace gravement l'approvisionnement des postes français en pelleteries. Pas de fourrures, pas de nourriture! Et pas de nourriture, aussi bien fermer les livres et rentrer tous en France...

Monsieur de Maisonneuve, quelque peu découragé, ferme les dossiers et songe à cet essai de colonisation qui se révèle de plus en plus coûteux et désastreux. Les dernières rumeurs[14] chuchotent de plus en plus fort que les Cinq Nations se sont donné la main pour préparer une attaque décisive contre les postes de Ville-Marie, de Trois-Rivières et de Québec, pour en finir avec les Français! Il est donc impérieux d'agir. Mais que faire? Vers qui se tourner?

Un coup discret frappé à la porte sort le gouverneur de sa réflexion.
- Entrez.
C'est son secrétaire qui ouvre la porte et la referme derrière lui:
- Monsieur, le commandant de garnison du fort demande une audience.
- Qui?
- Le commandant Daulac, monsieur!
- Si tôt?
- Je peux lui dire que vous êtes occupés et le diriger vers son supérieur, le sergent-major Closse, monsieur!
- Oui, faites donc!... Non, attendez! Faites entrer ce jeune homme; je me demande bien ce qu'il me veut... si tôt...

Le secrétaire fait volte-face, ouvre la porte et sort, la refermant derrière lui. Maisonneuve a toujours été intrigué par ce Daulac, le seul soldat à se porter volontaire en 1657 pour naviguer vers le Nouveau Monde; cet empressement cachait sûrement quelque affaire... La porte s'ouvre, laissant entrer un jeune homme de vingt-quatre, vingt-cinq ans, svelte et robuste à la fois, portant moustaches et barbichette, le cheveu long, mais propre et soigné. Le gouverneur se lève et contourne la petite table qui fait office de bureau pour accueillir son commandant de garnison.

- Monsieur Daulac, que puis-je pour vous, ce matin?

- Monsieur de Maisonneuve, appelez-moi Adam, ou encore Dollard, et laissez de côté, s'il vous plaît, les civilités inutiles.

- D'accord, Adam, rétorque le gouverneur, irrité, que puis-je faire pour toi?

- C'est plutôt ce que je peux faire pour vous qui me conduit chez vous ce matin.

- Plaît-il?

- Je me suis engagé envers vous, il y a quelques années, pour venir combattre les indigènes qui tuaient mes compatriotes. Je suis venu à bord du «Normand» parce que j'ai cru au rêve de colonisation que vous avez fait miroiter sous nos yeux à Paris. Je ne vous le cache pas, j'ai aussi été attiré par la possibilité de me bâtir une fortune, si minime soit-elle, en cultivant la terre ou en devenant commerçant de fourrures.

- Je sais tout cela, Adam.

- Justement! Et vous avez facilité mon installation sur une terre que je défriche depuis deux ans et que je sèmerai pour la première fois cette année. Et vous m'avez habilité à acheter, avec quelques amis, un petit bateau qui nous permettrait de nous lancer en affaires, en nous consentant un prêt sur gages.

- Si tu es venu me remercier, c'est inutile! Ta présence parmi nous et ta volonté de t'établir me suffisent amplement. D'ailleurs, j'entends dire que la jolie Perrine...

- Sauf votre respect, Monsieur, je ne viens pas discuter de mes affaires sentimentales.

- Mais, de quoi donc veux-tu me parler? réplique un gouverneur de plus en plus impatient et laconique.

- Dois-je vous rappeler que quelques semaines seulement après mon arrivée au Canada, j'ai vu pour la première fois ce que c'était qu'un Blanc dépouillé et scalpé par un Sauvage? Dois-je vous rappeler, Monsieur, que je suis d'abord et avant tout un soldat et que j'ai juré de faire une guerre sans merci aux assassins de mes compatriotes?

- Tu commences à m'ennuyer avec tes envolées oratoires, Daulac!

- Dollard, Monsieur! Mes hommes m'appellent Commandant Dollard!

- Si tel est ton désir... Que veux-tu au juste, Dollard?

- La permission d'aller faire la guerre aux Iroquois avant qu'ils ne viennent frapper à nos portes! La permission de partir avec quelques hommes décidés et de surprendre les Onontagués qui descendront la rivière aux Outaouais!

- Et que crois-tu obtenir de cette mission si impétueuse?

- Monsieur, les Onontagués ont chassé durant tout l'hiver à l'ouest de nous; les Agniers et les Onneyouts ont fait de même dans la vallée de la rivière Richelieu. Les rumeurs veulent que, dès la fonte des neiges, ils se regroupent sur la rivière aux Outaouais et qu'ils attendent le passage du convoi, conduit par Des Groseillers et Radisson, pour accaparer les peaux et nous mettre dans un embarras encore plus grand vis-à-vis la France...

- Je ne peux laisser partir ma garnison. Qui nous protégera contre les attaques-surprises?

- Je ne vous demande pas de vous départir de tous les soldats: ce serait de la folie pure! Non! Je veux utiliser l'élément de surprise pour désorganiser les bandes rivales; je veux créer des embuscades où nous pourrions les détruire, bande par bande, sans qu'ils n'aient été préparés. Nous nous approprierions de leurs canots, de leurs armes et, s'il en est, de leurs pelleteries...

- Beau butin!

- Mais, mon objectif principal, Monsieur de Maisonneuve, c'est de libérer le passage de la rivière aux Outaouais et ainsi permettre à nos alliés de porter leurs fourrures jusqu'à nous!

Le gouverneur est sceptique, mais il voit dans l'aplomb et l'assurance du jeune homme les qualités qu'il possédait lui-même à son arrivée en Nouvelle-France. Toutefois ses commandants d'expérience sont tous affectés à d'autres tâches et ne pourraient se libérer avant plusieurs semaines : Closse fortifie sa demeure hors des murs de la bourgade et sa femme attend un enfant incessamment; du Puis, qui le remplace dans ses tâches habituelles, a la responsabilité des défenses extérieures du village; Le Moyne, quant à lui, est son meilleur marchand et il le veut ici lorsque le troc avec les Algonquins se fera...

- L'idée n'est pas mauvaise, Adam! Mais je ne sais à qui confier le commandement d'une telle mission, puisque mes hommes de confiance ne sont pas disponibles en ce moment.

- Permettez que j'assure moi-même le commandement de ce bataillon.

Je suis persuadé que je saurai convaincre suffisamment d'hommes à me suivre.

- À te suivre, oui; mais à mourir pour la patrie?

- Monsieur, je n'en demanderai pas moins et ils me suivront!

Étonné encore une fois par l'enthousiasme de Dollard des Ormeaux, le
gouverneur lui demande quelque temps pour réfléchir.

- Oui, Monsieur, mais faites vite! Le temps joue contre nous!

- Je te ferai part de ma décision dans les délais les plus brefs!

- Merci, Monsieur! Maintenant, je vous prierais de m'excuser: je dois
aller recruter...   Il n'est jamais trop tôt pour commencer. Sur ce, je vous
quitte!

Il salue et sort, sans plus de cérémonie, laissant Maisonneuve devant
une décision dont l'ampleur l'effraie déjà : en acceptant l'idée de Dollard,
n'envoie-t-il pas inutilement de bons soldats à une mort certaine? Compte
tenu de l'inexpérience au combat de la plupart des soldats de la garnison, du
moins en sol canadien et contre des adversaires qui ne respectent aucune
règle, peut-il logiquement espérer une victoire, si petite soit-elle?

* * *

Le commandant se rend d'un pas rapide à une réunion qu'il a convo-
quée pour dix heures : il y trouve une trentaine de jeunes braves, accrochés à
ses lèvres lorsqu'il leur parle de son projet. Sans assurer la gloire à ses
hommes s'ils reviennent sains et saufs d'une telle équipée, il leur promet un
changement draconien dans leurs habitudes de vie.

- Ainsi, nous allons nous attaquer aux Sauvages, une fois pour toutes?
demande Tavernier, l'armurier.

- Oh! je doute que notre expédition règle le cas des Iroquois, répond
Dollard. Mais je pense qu'il est de notre droit et de notre devoir de sortir de
l'isolement des fortifications et d'agir, si on veut montrer à l'ennemi qu'il
devra dorénavant traiter avec nous!

Les «Hourra!» fusent de tous les coins de la petite salle. Les plus auda-
cieux veulent déjà s'engager; on entend des «J'y vais!», «Je suis avec vous,
Commandant!» et des «Tous pour un, et un pour tous, même dans la mort!».
Le jeune officier tente de tempérer les esprits en leur expliquant les dangers
d'une telle expédition en terre ennemie.

- C'est pourquoi j'ai décidé de n'accepter que des célibataires! Je ne
veux pas, par ma faute, augmenter le nombre de veuves et d'orphelins dans
la colonie... Bon, en attendant la réponse de Monsieur de Maisonneuve,

c'est tout pour aujourd'hui. Rompez et attendez mon appel de ralliement d'ici peu.

Les jeunes gens sortent, enthousiastes, à part quelques-uns qui grommellent qu'on n'accepte pas les hommes mariés...

* * *

C'est comme une traînée de poudre que la nouvelle de l'expédition se répand dans la petite bourgade sise sur la rive nord du Saint-Laurent. Les premiers officiers de la garnison, irrités de ne pas avoir été consultés au préalable, invitent le jeune Dollard des Ormeaux à venir s'expliquer devant eux.

En soirée, une réunion secrète se tient dans la nouvelle maison de Closse. Outre ce dernier et son épouse, on y trouve Charles le Moyne, Pierre Picoté, du Puis et Adam Dollard. Lambert Closse ne perd pas un instant :

- Qu'est-ce que c'est que ces préparatifs d'expédition sans m'en parler? C'est de l'insubordination ou simplement de l'ignorance des règles de conduite d'un subalterne?

- Ni l'une ni l'autre, sergent-major, réplique Adam. Ce n'est qu'une idée que j'ai soumise à Monsieur de Maisonneuve qui n'a encore pris aucune décision...

- Si le gouverneur accepte, j'en prendrai le commandement et nous partirons dès la naissance de mon enfant, reprend Closse.

- Ce sera trop tard! murmure Adam.

- Attendez après les labours et je suis votre homme, dit Charles Le Moyne. Je connais le territoire, les coutumes de ces Sauvages et leurs dialectes...

- Ce sera trop tard! laisse échapper une deuxième fois Dollard.

- Il faut quand même ensemencer notre terre, Adam! C'est la première fois qu'elle accueillera les graines de blé : tu veux les voir germer, n'est-ce pas?

- Oui, Picoté, et c'est pourquoi je te charge de cette tâche. Moi, si le gouverneur le veut, je pars sur-le-champ battre les Sauvages!

- Mais c'est de la folie pure! crie le sergent-major. Tu ne connais rien aux combats en ces terres!

- Peut-être, mais c'est la seule solution, si nous tenons à nos terres; c'est la seule solution, si nous espérons construire notre avenir et celui de nos enfants ici même. Les Iroquois vont se regrouper d'ici peu et leur force de frappe sera telle que non seulement bloqueront-ils toutes les routes de fourrures qu'empruntent nos alliés, mais je crains qu'ils poussent aussi l'audace jusqu'à s'attaquer à nos postes fortifiés.

- Tu rêves! rétorque du Puis, responsable des défenses du fort. Nos palissades et nos mousquets les repousseront à coup sûr!

- Et s'ils nous tendent des embuscades chaque fois que nous quittons l'enceinte de la ville? Et s'ils s'avisent de ne laisser entrer aucun canot, aucune chaloupe, aucun bateau dans la bourgade?

Le silence se fait devant la gravité d'une telle menace! Seule Élisabeth, de temps à autre, laisse sortir une plainte : son bébé lui a sans doute donné quelques coups de pied de l'intérieur... Le jeune officier originaire des Ormeaux reprend, décidé :

- Comprenez-le bien, mes chers amis, il faut agir tout de suite, s'il n'est pas déjà trop tard. Je pars dès que le gouverneur me le permettra!

* * *

La décision ne se fait pas attendre : le gouverneur convoque Adam Dollard le lendemain de bonne heure et lui donne la permission d'organiser cette expédition le plus tôt possible. Dans les jours qui suivent, Dollard rencontre individuellement chacun des hommes qui avaient manifesté le goût de partir : il en retient seize[15], dont huit sont des anciens et les autres de nouvelles recrues, arrivées depuis peu de la mère-patrie. Il les invite à un dernier conciliabule le matin du 18 avril, près des remparts...

* * *

- Nous voilà tous réunis! Demain, à l'aube, nous partons! Mais, auparavant, je vous demanderai trois choses : un serment d'allégeance que nous prononcerons tout à l'heure; une confession devant Monsieur Souart qui a daigné venir à notre rencontre; et, à ceux qui ont des possessions, je suggère de dicter vos dernières volontés à messire Basset, dans le cas où nous ne revenions pas... Debout, mes amis! Tous se lèvent, le poing fermé sur le coeur. Répétez après moi... Ce qu'ils font :

- Nous jurons de combattre sans merci les ennemis de notre peuple, jusqu'à la mort s'il le faut, et de suivre notre commandant où il nous mènera!

- Bien! reprend le jeune officier, plutôt fier de sa troupe. Monsieur le Curé entendra maintenant nos confessions et donnera la communion à ceux qui le désirent.

Ces jeunes gaillards, sans être de grands pécheurs, accaparent le reste de l'avant-midi avec leur confession et leur pénitence. Puis, ils communient tous, sous un soleil de plomb. Ils cassent ensuite la croûte, n'ayant pas mangé depuis la veille, selon les recommandations d'Adam. Messire Basset se montre, tel que convenu, vers quatorze heures, papiers en main... Dollard est le premier à faire son testament, puis les huit anciens l'imitent: d'abord Brossier, puis Tavernier, Josselin, Robin, Valets, Doussin, Le Comte et Crusson... Combien parmi les plus jeunes font de même? On ne le sait. Peut-être Tillemont, Hébert, Martin, Augier, de Lestres, Jurie, Grenet ou Boisseau... Le reste de la journée est consacré aux préparatifs matériels : les barils de poudre, les fusils, les pistolets, les haches, les sacs de plombs, les vivres s'entassent à l'intérieur de la palissade. Pendant ce temps, certains s'occupent de transporter les cinq canots d'écorce mis à leur disposition; c'est peu, mais ce sont des canots petits et légers qui leur permettront de manoeuvrer vite et agilement dans les eaux tumultueuses qu'ils doivent traverser...

* * *

Le jeudi 19 avril, tout est prêt pour le départ et c'est accompagnés d'une foule d'amis et de curieux que les dix-sept braves sortent des murs de la ville et se dirigent aux abords du fleuve, transportant les vivres et roulant les barils de poudre.

Adam prend la parole une dernière fois avant d'embarquer :

- Mes amis, notre périple sera long ou court, on ne le sait! Ce que je sais, c'est que nous verrons plus que notre lot de batailles. Nous tenterons d'abord d'intercepter les Onontagués qui devraient descendre la rivière aux Outaouais en petits groupes; nous les attendrons au passage infaillible, dans les rapides du Long-Sault. Ils seront des proies faciles, à mon avis. Plus tard toutefois, je crains que nous rencontrerons les Agniers et les Onneyouts remontant la rivière pour venir intercepter les cargaisons de nos alliés : ils seront mieux armés et plus nombreux. Nous aviserons à ce moment s'il est sage d'engager le combat ou préférable de se replier. Des questions?

- Non, mon Commandant! répondent d'une seule voix les seize!

- Dès ce soir, nous voyagerons la nuit. Le jour, à l'abri des arbres et des bois, nos embarcations bien camouflées, nous choisirons des endroits propices aux embuscades... Embarquement immédiat! Et à la grâce de Dieu!

Les soldats s'installent dans les canots, sous les applaudissements de la foule et le regard approbateur du sieur de Maisonneuve, perché à la fenêtre de son bureau. Les meilleurs fusils prennent place à l'avant, laissant aux deux ou trois autres occupants le fardeau d'avironner[16] à contre-courant vers l'aventure.

* * *

Le convoi n'a pas quitté Ville-Marie de plus d'une lieue lorsqu'il entend des coups de feu et des appels au secours venant de l'île Saint-Paul[17]. Redoublant d'ardeur, les soldats débarquent sur l'île pour voir s'enfuir les Indiens... Ils découvrent le corps de Nicolas Duval, mais aucun des deux autres hommes qui devaient se trouver avec lui : ils en concluent que Mathurin Soulard et Blaise Juillet ont dû se noyer en tentant de se sauver en canot... Ils mettent la main sur le canot vide des Iroquois et sur quelques armes.

- Tiens, nous serons moins à l'étroit avec six canots, dit Adam. Déposez la dépouille du jeune Duval au fond du canot indien; nous allons le rendre à ses parents.

Les hommes rebroussent le chemin parcouru et arrivent à Ville-Marie où ils sont accueillis avec surprise. Ils remettent Nicolas Duval à ses parents, racontent les exploits de leur première rencontre avec les Sauvages et, enthousiasmés par leur récent succès, s'improvisent une petite fête de village.

* * *

Le vendredi 20 avril, c'est le deuxième départ! On attend la tombée de la nuit cette fois et les dix-sept, encore pleins d'énergie, avironnent en silence sous des cieux cléments. La remontée jusqu'au premier portage du Long-Sault se fait sans anicroche en quelques jours, les hommes respectant à la lettre les consignes de Dollard.

Après le premier rapide, ils en contournent un deuxième et remontent le courant jusqu'à un endroit où la rivière s'élargit[18]. Pour la première fois de leur voyage, les soldats éprouvent de la difficulté à avancer, malgré l'ardeur qu'ils mettent à ramer : c'est que les canots, plutôt que de suivre la berge au nord de la rivière, ont tendance à bifurquer vers la rive sud, comme emportés dans un tourbillon. René Doussin, le second du jeune commandant, suggère qu'on laisse les canots se frayer un chemin puisque, de toute façon, ils semblent avancer lorsqu'ils se dirigent vers le sud. Ce qui est fait...

Après quelques heures de dur labeur, le soleil se pointant à l'horizon, Dollard ordonne à ses hommes de mettre pied à terre et de cacher les canots dans les herbes longues. Il avise un promontoire juste à l'embouchure d'une petite rivière : serait-ce le site du passage infaillible dont lui avaient parlé nombre de coureurs de bois? Ça expliquerait la volonté des embarcations de passer par là...

- Messieurs! dit-il lorsqu'ils reviennent près de lui, c'est ici que nous attendrons les Sauvages! Nous construirons un fort[19] sur la colline, un peu en retrait de la rivière : il nous permettra de repérer les canots venant des deux directions et d'être à l'abri des regards... Reposez-vous! Demain, il faudra manier la hache et se charger les épaules de pieux!

De Lestres, l'aîné du groupe, prend le premier quart de garde en amont, tandis que Tavernier hérite de la même tâche en aval de leur emplacement. Les autres, après avoir pris une bouchée et quelques gorgées d'eau, s'étendent à même le sol et s'endorment.

Deux heures plus tard, Adam est réveillé par Tavernier qui lui chuchote à l'oreille :

- Commandant! des canots remontent la rivière! Il doit bien y en avoir une vingtaine!

- Quoi? Déjà les Agniers?... Non, ce n'est pas possible!

Dollard s'ébroue pour tenter de reprendre ses esprits; il se lève et demande à l'armurier de le conduire à son point d'observation : il s'agit bien d'une vingtaine de canots, peut-être davantage, mais quelque chose d'imperceptible et d'inexplicable fait dire à Adam :

- Ce ne sont pas des Iroquois! Va réveiller quelques soldats, sans les apeurer outre mesure.

Dollard plisse les yeux pour mieux voir ces Indiens qui s'approchent de lui, ébloui qu'il est par le soleil du matin. L'un deux l'aperçoit et lui fait signe, un signe amical, un signe pacifique. Alors, il emprunte un sentier et descend à la berge où les premiers canots abordent déjà. L'un des occupants du premier canot se dresse sur la rive; c'est sans doute l'un de leurs chefs et il s'adresse à Dollard, mais celui-ci ne comprend rien à rien et retient son souffle jusqu'à ce qu'apparaisse Doussin... qui traduit les paroles des deux interlocuteurs :

- Je suis Anontaha[20] et quarante de mes guerriers m'accompagnent! Il y a aussi quatre Algonquins, venus avec nous, sous les ordres du chef Mitiwémeg[21].

- Que faites-vous dans la région? Ne savez-vous pas qu'il est dangereux, voire insensé, de s'aventurer ici au printemps, à la merci des attaques iroquoises? leur demande Adam.

- Votre Grand Chef, Monsieur de Maisonneuve, vous envoie cette lettre que je porte à la ceinture.

Le chef Anontaha remet la missive à Dollard qui la parcourt rapidement des yeux; puis, il se tourne vers les seize soldats qui, éveillés par les mouvements des uns, se sont joints à l'attroupement sur la berge.

- Messieurs, le gouverneur nous envoie du renfort! Ces alliés sont à notre disposition et il répond des deux chefs qui commanderont à leurs guerriers de faire tout ce que j'entends!

- Vive le gouverneur! Vivent nos alliés! Vive le Commandant! lancent sur un ton moqueur les compagnons de Dollard.

- Bon, puisque vous semblez en forme et qu'il est maintenant inutile de penser à se coucher, au travail!

Se tournant vers Anontaha, Dollard reprend :

- Merci de te joindre à nous! Vous arrivez à point; je veux construire un fort assez grand pour nous protéger tous, mais un fort tel qu'on les construit en France, un fort à gabions[22]! Peux-tu te charger, avec ton peuple et les quelques Algonquins qui vous accompagnent, d'élever une palissade sommaire autour de l'enceinte principale? L'un de mes hommes t'indiquera le tracé de cette troisième barricade...

- Tes ordres seront les miens.

Dollard ressent beaucoup de sympathie à l'endroit du chef huron, même s'il ne comprend aucun des sons qui sortent de sa bouche. Il lui sourit et, après avoir expliqué dans le détail ce qu'il désire à Doussin, il laisse son second diriger les opérations avec leurs alliés indiens...

Ses hommes se sont déjà mis à l'oeuvre lorsqu'il gravit la pente qui le conduit au promontoire. Il leur recommande de ne pas couper tous les arbres autour de la palissade : un paysage trop dénudé laisserait le fort à découvert et on le verrait de trop loin...

Les Français, peu habitués à cette tâche, suivent les directives des anciens, Tavernier entre autres et surtout Nicolas Josselin qui s'y connaît en matière de fortifications :

- Vous allez me couper des arbres hauts de plus de cinq mètres et qui ont un diamètre d'au moins vingt centimètres. Creusez et plantez les pieux à un mètre et demi ou deux mètres de profondeur. Fixez-les aux arbres existants, s'il y en a et nouez-les les uns aux autres avec de la corde et des lianes... Fortifiez-les de l'intérieur en appuyant des chevilles longues de trois mètres...

Cette palissade prend toute la journée du 1er mai à s'élever dans le ciel. Tard en soirée, les Français, fiers de leur travail, font quelques feux et s'installent confortablement à l'intérieur des murs. C'est le moment que choisit Dollard pour laisser exploser la seule et unique colère que lui connaîtront ses compagnons de fortune.

- Comment donc, morbleu! Vous vous répandez quand le travail n'est qu'à moitié terminé?! Sont-ce là les gens qui ont juré de me suivre partout où je les mènerai?

Interloqués, les soldats se lèvent d'un bond et se tiennent rigides comme les pieux qui les entourent. Dollard reprend :

- Quand je vous dirai que c'est terminé, vous pourrez disposer! Pas avant! M'avez-vous bien compris?

- Oui, Commandant! hurlent en choeur les soldats.

- Monsieur Josselin! Je veux une deuxième barricade à deux mètres de celle que vous avez érigée!

- Mais, mon Commandant, je croyais que les Sauvages se chargeaient de cette barrière?!

- Non, Monsieur! Ils en élèvent une troisième, pour tenir les adversaires le plus loin possible de nous! Vous et vos hommes devez planter une autre palissade aussi solide que la première et remblayer de pierres et de terre l'espace qui sépare ces deux murs français. Me suis-je bien fait comprendre?

- Oui, Monsieur!
- Questions?
- Oui, Monsieur!
- Allez-y.
- Vous voulez le remblai...?
- À hauteur d'homme!
- Et le tout doit être terminé...
- Avant le lever du jour!... Exécutez, Josselin!
- Oui, mon Commandant!

Dollard ne se retire pas, comme certains officiers l'auraient fait en pareille situation. Il saisit une hache, sort de l'enceinte et, quelques instants plus tard, ses hommes entendent le choc viril et répété de sa hache sur le tronc d'un arbre... Nicolas Josselin, fier de son chef, crie à la maigre garnison :

- Vous avez entendu les ordres?
- Oui, Monsieur! répliquent-ils en choeur.
- Eh bien! qu'attendez-vous?

Avec empressement et énergie, les seize hommes saisissent leurs outils et courent rejoindre le jeune commandant dans les ténèbres de la nuit, laissant aux Hurons le soin de faire bonne garde...

* * *

- Onontagués! Onontagués! crient quelques Hurons à la pointe du jour. Les Français se précipitent sur leurs fusils, mais déjà les Hurons tirent et dispersent les quelques Iroquois envoyés en éclaireurs, en tuant tout de même quelques-uns[23].

L'effet de surprise sur lequel comptait tellement Dollard des Ormeaux s'envolait en fumée, à cause de la précipitation de ses alliés à faire feu...

- Tous à l'intérieur! crie-t-il. La fête va commencer. Chargez vos mousquets et vos pistolets! Nous ignorons combien ils sont...

Les Français et les quarante-quatre alliés s'installent devant les meurtrières pratiquées entre les pieux et attendent...

* * *

Les Onontagués connaissent très bien ce détroit où leurs éclaireurs se sont fait attaquer et ils choisissent d'aborder un peu plus en amont. Sinon, les canots, emportés par le courant, passeraient au pied du fortin et les Iroquois deviendraient les proies faciles des armes françaises et même des flèches huronnes et algonquines. C'est ça, le passage infaillible! Ils le connaissent pour l'avoir utilisé à leur avantage en s'embusquant près de la petite rivière jusqu'à ce que les alliés des Français leur tombent entre les mains. Heureusement que certains des leurs, envoyés au-devant, ont pu s'esquiver et les avertir.

C'est donc à pied et par terre que les Onontagués décident de s'attaquer aux agresseurs. Avec prudence, car ils ne savent rien encore des forces en présence.

Le premier assaut survient du côté ouest et, malgré les recommandations de Dollard de ne tirer qu'au dernier moment, les Hurons répliquent vite, tirant un peu partout dans les bois. Puis, c'est le tour des Français :

- Feu!

Ils tirent une fois, deux fois, avec précision et sans merci. Plusieurs Onontagués tombent sous les projectiles des soldats. Les Iroquois se retirent.

L'un d'eux, se détachant du groupe, s'avance, mains en l'air, et demande à parler au chef. Dollard, accompagné d'un interprète, se montre du haut de la palissade.

- Qui es-tu? lui demande le chef iroquois.
- Je suis Dollard des Ormeaux, commandant de cette garnison.

- Que comptes-tu faire ici?

- Protéger la rivière et permettre aux nôtres de revenir du nord avec leur cargaison de fourrures. Y vois-tu quelque raison de t'opposer à cette action?

- Non! Je descends justement, avec mes hommes, vers Ville-Marie pour y négocier une fin aux hostilités entre nos peuples. Je veux parler au Grand Chef Blanc d'une paix durable...

- Si tel est ton dessein, laisse là tes armes et reprends la rivière tout de suite. Personne ne te tirera dessus d'ici au poste de Montréal.

- Des guerriers ne laissent pas leurs armes!

- Même en temps de paix?

- Comment puis-je te faire confiance, Blanc?

- Tu as ma parole!

- Je vais en discuter avec mes seconds.

- Alors, fais-le sur l'autre rive, en face de nous. Ainsi, nous surveillerons tous tes gestes et mesurerons le degré de ton honnêteté.

Le chef iroquois s'éloigne, suivi des siens, mais c'est dans le bois qu'il s'enfonce et non de l'autre côté de la rivière. Bientôt les Français entendent des coups de hache et des arbres qui tombent.

- Commandant! Ils élèvent un abri : ils préparent le siège! dit Augier.

- Colmatez les brèches! crie alors Dollard. Rechargez vos armes! Voyez si les liens tiennent bon entre les pieux! Et faites le plein de munitions : j'ai le pressentiment que nous en aurons besoin.

Les Onontagués contournent le fort et donne le deuxième assaut par derrière, surprenant plusieurs Hurons affairés à solidifier la troisième muraille. Heureusement que les Français et les Algonquins sont prompts à réagir : ils vont jusqu'à sortir pour porter le combat aux ennemis et ménager une fuite aux Hurons. Les Onontagués se retirent à nouveau, laissant derrière eux autant de vaillants guerriers qu'ils en ont abattu.

Les Hurons, assoiffés de sang et de vengeance, demandent à Anontaha de pratiquer une cérémonie pour éloigner les mauvais esprits; ce dernier, sans consulter Dollard, donne son assentiment. Quelques guerriers, armés de tomahawks, quittent l'enceinte et s'acharnent sur les cadavres ennemis, tranchant les têtes et les fixant au sommet des pieux. Ce cérémonial enrage les Iroquois qui redoublent d'ardeur et sonnent plusieurs assauts successifs pendant deux jours et deux nuits.

Les Français, qui n'ont pas dormi depuis leur arrivée sur le promontoire, se contentent de tirer des salves intermittentes : ce qui les préoccupe, ce sont les munitions qui ne cessent de baisser et l'absence d'eau potable.

Doussin envoie quelques hommes chercher de l'eau dans la rivière pendant la nuit. Ils peuvent étancher leur soif et soigner les blessures des Indiens alliés. Miraculeusement jusqu'ici, les ennemis n'ont fait aucune victime chez les Français qui, à part quelques éraflures, tiennent le coup.

Le plus difficile demeure l'exiguïté des lieux, l'inconfort et la difficulté à rester éveillés lorsque le nuit tombe.

* * *

Le troisième jour du siège, le vent tourne. Les Onontagués ont découvert les canots cachés des Français et de leurs alliés et, avec enthousiasme et cris de guerre, ils les mettent en pièces.

- Les canots!

- Oui, ils les ont trouvés! dit Dollard. Si nous sortons vivants d'ici, nous devrons rentrer à pied jusqu'à Ville-Marie... Alors, faites-leur payer cher cet affront lorsqu'ils reviendront à la charge.

L'attaque ne se fait pas attendre. Les ennemis ont fabriqué des torches à l'aide de l'écorce des canots, recouverte de résine, et ils s'approchent dangereusement du fort, brandissant cette nouvelle arme.

- Tirez sur les porteurs de flambeaux! crie Tavernier.

- Et tâchez de les tenir à distance des murs! renchérit de Lestres.

Ce qui est fait. Le tir précis des Français a, encore une fois, raison de ce nouvel assaut. Le soir venu, on envoie chercher de l'eau une deuxième fois, sans problème.

* * *

Le 5 mai commence assez calmement : les munitions sont basses de part et d'autre et on les utilise parcimonieusement... En soirée, un groupe de Hurons, devenus Iroquois, s'approchent de la palissade, accompagnés d'Onontagués, et ils crient en direction du fort, ce qui sème le remous chez la quarantaine d'alliés.

- Doussin, que se passe-t-il? demande Tavernier.

- L'ennemi incite ses frères à se joindre à lui avant qu'il ne soit trop tard.

- Comment, trop tard? On se tire bien d'affaire jusqu'ici!

- Si ce qu'ils disent est vrai, ça ne devrait pas durer : il semble que des émissaires soient partis chercher les Agniers qui campent près de la rivière Richelieu et qu'ils attendent cinq cents attaquants d'ici un ou deux jours...

- Souhaitons qu'il s'agisse d'une simple ruse pour apeurer nos alliés. Qu'en pensez-vous, Commandant?

- Ils doivent bien être environ deux cents à nous harceler. Si cinq cents guerriers se joignent à eux, il nous faudra un miracle!

À ce stade, Anontaha s'approche des Français et demande à parler à Dollard. Il dit craindre la désertion de certains de ses hommes, surtout les jeunes qui en ont assez de se battre. Peut-être peut-il négocier une trêve avec les assaillants et sauver quelques vies.

- De toutes façons, ajoute-t-il, vous savez bien qu'ils ne nous laisseront pas sortir vivants d'ici.

- Je sais. Sur combien de vos hommes peut-on encore compter?

- Difficile à dire : dix, peut-être vingt. Mais soyez assurés que mes seconds et moi resterons à vos côtés jusqu'à la fin.

- Merci... Faites ce que vous avez à faire.

Et Anontaha s'adresse à l'ennemi, tentant de connaître le sort qu'il réserve à ceux qui se joindront à lui. Mais les attaquants ne font que répéter les mêmes paroles, enjoignant leurs semblables de quitter le fort tout de suite.

C'est ce que font une trentaine de Hurons, glissant le long des pieux et se mêlant aux assaillants qui les dirigent dans les bois. Encouragés par ce succès, les combattants se rapprochent et tentent de convaincre le reste des Amérindiens de sauter les murs. Adam Dollard les prévient de ne pas trop s'approcher, mais ils ne tiennent pas compte de ses menaces. Alors, il ordonne d'ouvrir le feu et les balles des Français fauchent une dizaine de Sauvages, mettant les autres en déroute. Les Iroquois se vengent sur les Hurons qui se sont joints à eux quelques instants plus tôt... Tout espoir de pourparlers vient de mourir.

* * *

Au cinquième jour, les Agniers arrivent et, avec eux, quelques Onneyouts et quelques Tsonnontouans. Ils sont bien cinq cents et sonnent la charge de tous bords, tous côtés. Les Français les font refluer à plusieurs reprises, mais, chaque fois, ils redoublent d'ardeur et reviennent!

- Ces diables de Sauvages ne lâchent pas facilement! lance Le Comte.

- Ils savent sûrement combien peu nombreux nous sommes, dit Dollard. Les déserteurs ont dû les informer...

- Eh! Commandant! Combien sommes-nous donc, à votre avis? lance Tavernier, tentant un rire gouailleur.

- Pas moins de trente! possédant le courage de 2000 Sauvages! crie le petit Martin, qui n'a que vingt et un ans, mais bataille comme un habitué des pires campagnes militaires.

- Malheureusement, reprend Doussin, plus réaliste, les munitions disparaissent. Il nous reste bien de la poudre, mais les plombs manqueront bientôt. Et à quoi sert la poudre sans projectiles?

- À fabriquer des grenades, mon ami! intervient Dollard. Regardez bien cet engin infernal.

Adam tire un pistolet de sa ceinture, le bourre de poudre, enfonce une mèche et de la terre pour bien la coincer. Puis, il allume le tout, se lève et lance la grenade dans les rangs ennemis. Une forte explosion retentit, suivie de cris de douleur et de rage.

- Voilà, messieurs! ajoute le commandant, content de lui.

* * *

Le sixième jour n'est qu'une répétition du jour précédent, avec son lot d'attaques iroquoises. Les Français croient bien avoir abattu soixante, peut-être quatre-vingts Sauvages, mais ils doivent maintenant compter des blessés et des morts dans leurs rangs. Les Agniers ont coupé des arbres qui sont tombés sur les palissades, fracassant le crâne de certains soldats, en assommant d'autres... Les munitions se font rares...

* * *

Ce qui devait arriver se produit le septième jour : il n'y a plus de plombs. On se défend à coups d'épée et de hache lorsque l'ennemi tente de traverser les pieux à la hauteur des meurtrières. C'est le moment que choisit un Onontagué pour prier Anontaha de se rendre, s'il veut sauver sa peau, ce à quoi le chef huron réplique:

- Jamais! J'ai donné ma parole aux Français. Je mourrai avec eux!

Et c'est à peu de choses près ce qui se produit dans les heures qui suivent. Dollard des Ormeaux, voulant éloigner les Agniers qui se sont installés au pied de la palissade pour en couper les pieux, prépare un baril de poudre et, aidé de quelques hommes, tente de le faire basculer par-dessus l'enceinte. Le sort a voulu qu'il en soit autrement : la fatigue, la proximité de branches et le destin s'en mêlent.

- Attention! le baril est retombé à l'intérieur! Courez! crie Adam. Mais le baril explose en une violente déflagration qui tue plusieurs hommes, en blesse autant et ouvre une brèche dans la palissade principale. Dollard, grièvement blessé, trouve l'énergie nécessaire pour hurler à ses compagnons d'armes : «Mes amis, c'est terminé! Vous pouvez disposer!»

Les Agniers, d'abord surpris par le vacarme de l'explosion, voient là l'occasion d'en finir avec les assiégés. Ils pénètrent en criant dans le fort.

Un Français, armé d'une hache, marche à travers les cadavres et tranche la tête des siens qui respirent encore pour leur éviter le supplice des tortures iroquoises. Il tombe bientôt sous les coups répétés de haches des Onneyouts. Quand la fumée se dissipe, il ne reste plus qu'une poignée de Français et quelques Hurons, hébétés, fatigués, mais toujours vivants et résignés : Tavernier, Doussin, Jurie et deux autres soldats se tiennent aux côtés du vieux Huron Louis, du jeune François, qui a à peine treize ans, et de deux autres Hurons. Les Algonquins sont tous morts, ainsi que douze des dix-sept Français.

* * *

Les Onneyouts brûlent Tavernier sur place, après l'avoir torturé. Les Iroquois se partagent les autres prisonniers et lèvent le camp, pressés de retourner en Iroquoisie raconter leurs exploits et y mettre les survivants à mort. Ils ne restent pas aux abords de la rivière des Outaouais, puisque leurs éclaireurs n'ont pas décelé l'arrivée prochaine du convoi de fourrures tant attendu...

Les Agniers emmènent le jeune Jurie et l'interprète Doussin est donné aux Onontagués. On partage aussi les Hurons. L'un des Français encore en vie est donné aux Tsonnantouans, mais il se libère, met la main sur un pistolet et tue son gardien : il est brûlé vif!

* * *

On raconte que le jeune François, puis le vieux Louis réussirent à s'évader, à des occasions différentes, et à revenir à Ville-Marie où ils ont raconté la bataille du Long-Sault. C'est à ce moment précis que Dollard des Ormeaux, ses seize compagnons et les quelques alliés entrent dans la légende de notre peuple![24]

Jurie est le seul Français qui semble avoir échappé aux supplices des Iroquois et qui s'est rendu chez les Hollandais. Ils l'ont soigné, paraît-il, puis l'ont mis sur un navire qui l'a conduit en France. On a perdu sa trace peu de temps après.

* * *

Le convoi de soixante canots[25], chargés de peaux de castors, arrive sur les lieux de la bataille quelques semaines plus tard. Radisson raconte, dans son journal, avoir trouvé des Français morts attachés à des pieux aux abords de la rivière. Quelques têtes ornaient aussi le sommet de piquets sanglants, comme si les Iroquois avaient remis le change aux Hurons. Des Groseillers et son beau-frère ont la lourde tâche de donner la sépulture aux dépouilles... Puis ils se rendent à Ville-Marie et bientôt à Trois-Rivières, sans rencontrer un seul Iroquois.

Dans les années qui suivent, les deux beaux-frères refont le même périple et reviennent avec de plus en plus de pelleteries, sans avoir à livrer bataille. C'est ce qui fait dire à Radisson que le sacrifice de Dollard et de ses hommes n'a pas été vain : il n'a peut-être pas sauvé la Nouvelle-France, mais il lui a donné un sursis de quelques années.

Dollard a atteint son but : libérer la rivière des Outaouais de tout danger pour les coureurs de bois et les Amérindiens alliés. Les Iroquois ne reviennent plus hanter les environs, du moins pendant un certain nombre d'années, ce qui permet à la petite colonie de respirer plus aisément et de prospérer...

LA LÉGENDE DU THÉÂTRE DE L'ÎLE[26]

Paris, le 9 septembre 1668, c'est jour de première au Palais-Royal. La troupe de monsieur de Molière y présente la nouvelle pièce du co-fondateur de l'Illustre Théâtre, la comédie «L'Avare». La salle est comble, le parterre est rempli, ainsi que les loges et les galeries. Près des coulisses jardin et cour, des banquettes latérales regorgent de spectateurs orgueilleux qui se félicitent d'avoir déboursé le demi-louis d'or que coûte chaque place : l'inconvénient de suivre la pièce de biais ne pèse pas lourd devant l'insigne avantage d'être vu au théâtre par le grand public.

Monsieur de la Sorbetière fait partie de cette élite fortunée que l'on regarde. Ce marchand de fourrures exotiques s'est fait accompagner par sa fille unique, Éloïse, qu'il a obligée à se vêtir de loutre, de vison, de lièvre et de castor de Nouvelle-France. La pauvre Éloïse sue déjà beaucoup au moment où l'on entend les coups répétés annonçant le début de la pièce.

Première surprise de taille : la pièce n'est pas écrite en alexandrins et sonne faux aux oreilles des puristes; le public se fait plutôt discret. De plus, on annonçait une comédie et voilà que la première scène se perd en lamentations amoureuses entre Valère et Élise; puis, c'est au tour de Cléante, le frère d'Élise, qui vient lui confier en larmes qu'il est amoureux...

C'est à ce stade qu'un petit changement se produit, transformation à peine perceptible que seules trois personnes s'en rendent compte sur-le-champ.

Jean-Sébastien Le Coq, le jeune premier qui interprète le personnage de Cléante, vient d'apercevoir Éloïse enfouie dans ses fourrures, à quelques pas de lui : c'est le coup de foudre! Il donne la réplique à sa soeur Élise, mais c'est Éloïse qu'il regarde, qu'il ne quitte pas des yeux, hypnotisé par tant de candeur. La belle enfant de treize ans rougit et baisse les yeux quelques instants, puis elle relève doucement les paupières pour s'assurer que le co-médien la regarde toujours. Puis, prise d'une panique subite, elle jette un coup d'oeil furtif en direction de son père pour s'assurer qu'il n'ait pas com-pris le petit manège qui se développe entre les deux jeunes personnes. Heu-reusement, Monsieur de la Sorbetière est trop occupé à opiner du chef et à saluer d'un sourire les gens qu'il reconnaît dans les loges et les galeries ou même sur les banquettes vis-à-vis celle qu'il occupe à l'autre bout de la scène.

- Je crois bien que le petit pourrait perdre pied, s'il ne fait pas attention! murmure Jean-Baptiste Poquelin en coulisses. Oh oui! il pourrait bien per-dre autre chose, le coquin!

Monsieur de Molière a vu juste! Dès la fin de la représentation, il voit le jeune Le Coq courir partout, cherchant à se renseigner au sujet de la belle Éloïse et de son père, commerçant de fourrures très en vue actuellement dans la ville de Paris. Même s'il gagne bien sa vie depuis qu'il s'est joint à la troupe de Molière, Jean-Baptiste est désespéré : très peu de paternels per-mettent à leurs filles de fréquenter des gens de théâtre et il craint fort que Monsieur de la Sorbetière ne comprenne pas l'engouement subit que le jeune comédien ressent pour sa fille unique...

Lors de la deuxième représentation, qui se tient le surlendemain, la foule est moins nombreuse, mais quelle belle surprise attend Cléante lors-qu'il entre en scène et aperçoit sa dulcinée assise sur les banquettes latérales, vêtue cette fois-ci plus légèrement, les cheveux en chignon, les bras dénudés découvrant une peau d'une blancheur presque transparente! Jean-Sébastien éprouve de la difficulté à donner la réplique à sa compagne de scène qui doit s'approcher et le pincer dans les côtes pour lui redonner de la vigueur et de l'entrain. À la scène quatre, Cléante profite d'une conversation entre Harpagon et Élise pour se tourner discrètement vers Éloïse qui n'attendait que ce mo-ment pour lui sourire ostensiblement. Cette fois-ci, c'est sa mère qui l'ac-compagne et elle n'est pas dupe des oeillades que les jeunes amoureux se lancent. Elle décide d'en faire part à son époux dès son retour à la maison...

Encore une fois, à la fin de la représentation, Jean-Sébastien s'attarde seul sur scène, espérant retrouver un soupçon du parfum de fleurs que portait sa belle. Il va même jusqu'à s'asseoir sur la banquette d'où Éloïse s'était levée quelques instants plus tôt. Puis, il le voit! Il en aperçoit un coin, juste dessous la banquette qui devance la sienne. Il se penche et prend le mouchoir blanc, brodé or et le porte à son nez. Il ferme les yeux et en hume l'arôme. Oui! C'est sans l'ombre d'un doute celui de la jeune femme.

- Vous l'avez trouvé, à ce que je vois!

Jean-Sébastien sursaute, mais n'ose pas se tourner tout de suite, ne reconnaissant pas la voix espiègle et rieuse qui lui adresse ces quelques mots. Accroupi, il tente, hésitant, de se justifier :

- Vous savez... euh..., madame, que...

Elle l'interrompt de son rire et lui réplique avec aplomb :

- Tu fais montre d'une assurance beaucoup plus grande dans la peau de Cléante. Relève-toi et regarde-moi, petit timide!

Le Coq sent ses joues et ses oreilles rougir : heureusement qu'on a éteint la plupart des chandeliers. Il pivote lentement et fait face à cette tendre gamine qui lui a plu dès qu'il l'a vue. Elle est plus belle encore, si la chose est possible, lorsqu'elle sourit, les yeux pétillants de malice. Elle se penche vers l'avant, de façon à susurrer les prochaines paroles, comme si elle veut lui confier un secret; son corsage révèle une poitrine immaculée à peine naissante et Jean-Sébastien, qui n'est pas habituellement prude, baisse les yeux.

- J'ai fait exprès pour «oublier» mon mouchoir sous le siège. C'est mon préféré et maman n'a pu refuser lorsque je lui ai dit qu'il me fallait le récupérer à la minute...

- Mais, pourquoi?

- Ce que tu peux être bête! Pour te voir et te parler, si la chance était de mon côté! Et, elle l'est toujours, cette amie fidèle.

- Comment vous appelez-vous, Madame? parvient à balbutier un Le Coq de plus en plus hébété et estomaqué par la hardiesse de cette muse, sans compter sa beauté sublime!

- Si tu me vouvoies encore, je m'en vais et tu ne me verras plus! Compris?

- Oui...

- Je m'appelle Éloïse de la Sorbetière.

- ...

- Ne t'inquiète pas! Je ne fais pas partie de la noblesse : mon père est un marchand prospère et il a pris le titre qui venait avec le castel, acheté il y a quelques années dans notre Languedoc natal.

- Ah bon!?

- Je dois partir, maintenant : ma mère m'attend sans doute impatiemment dans le carrosse.

- Te reverrai-je?

- Si tu promets de parler davantage la prochaine fois.

- Je le promets.

- Nous nous reverrons après la prochaine représentation de «L'Avare».

- Ça risque d'être long; déjà le public n'accourt pas. Tu as vu, ce soir? La salle était presque vide!

- C'est compréhensible!

- Comment? La pièce n'est pas bonne, selon toi?

- M'aimerais-tu moins si je te disais qu'elle m'ennuie? lance-t-elle, fantasque, ce qui fait rougir Le Coq même s'il en a vu bien d'autres.

- Ce que tu peux être délurée et déroutante! Tu le fais exprès?

- Oui! Bon, allez, adieu! Elle s'approche et lui fait la bise sur une joue, presque à la commissure des lèvres. Elle prend le mouchoir des mains du comédien, se tourne et marche vers les coulisses. Elle ajoute, tout haut :

- Monsieur Le Coq, je fus enchantée! Quant à la pièce, elle est excellente, malgré un défaut immonde!

- Lequel?

- Elle n'est pas écrite en alexandrins! Et la jeune femme disparaît dans l'obscurité de la coulisse jardin. Jean-Sébastien se passe la main dans les cheveux et sourit, heureux...

* * *

Mademoiselle de la Sorbetière avait raison : les intellectuels et les nobles boudent la pièce de Molière parce qu'il a osé déroger à la sacro-sainte loi de la dramaturgie classique. «L'Avare» ne sera repris que sept fois en un peu moins d'un mois, et Éloïse assistera aux sept représentations, accompagnée deux autres fois de son père, une autre fois de sa mère, deux fois de son tuteur et les deux dernières d'un cousin germain boutonneux et benêt que son père lui avait imposé.

Et chaque fois, Éloïse réussit à se retrouver seule avec Jean-Sébastien ne fut-ce que quelques instants. Certaines rencontres brèves se limitent à des sourires, à quelques mots, à des oeillades aussi furtives que langoureuses.

En d'autres occasions, il y a quelques étreintes, des promenades main dans la main et cette bise spontanée et si douce qui termine chaque tête-àtête. Les jeunes amants - au sens utilisé au XVIe siècle évidemment! - consacrent toutefois la majeure partie de leur temps ensemble à leur activité favorite : parler de théâtre...

Le jeune homme apprend que Monsieur de la Sorbetière, très futé en affaires, ne sait ni lire, ni écrire... Lorsqu'il se lança dans le commerce de la fourrure et qu'il se mit à couvrir les épaules de la noblesse aristocratique, il se trouva fort dépourvu devant les conversations intellectuelles qu'elle tenait. C'est pourquoi il pria sa fille unique qui avait un tuteur de lui apprendre tout ce qu'elle savait sur Corneille, Molière et le jeune Racine. Il lui recommanda de se limiter à l'essentiel et à la revue mondaine : par exemple, que jouait-on à l'Hôtel de Bourgogne, au Palais-Royal, chez les Italiens? Quels étaient les titres des pièces courues? les noms des comédiens-vedettes? les succès et les échecs? Et tout détail impertinent sur la vie de ces saltimbanques du verbe... Devant ses clients, il lui arrive de lancer un commentaire élogieux sur le jeu de tel comédien. Assis sur scène, il se contente de paraître intéressé et de saluer tous ceux et toutes celles qui fréquentent son magasin...

À leur quatrième rencontre, Le Coq avoue avoir vingt-quatre ans et faire partie de la Troupe du Roi depuis trois ans. Comme le prévoyait Éloïse, les comédiens répètent une autre pièce qui devrait remplacer «L'Avare» si le public ne revient pas bientôt. C'est que les comédiens reçoivent normalement des gages plus que respectables et Monsieur de Molière est homme d'honneur et de parole : il a choisi de reprendre «George Dandin», présenté en juillet dernier avec un certain succès dans le parc de Versailles.

- Mais, cette pièce est en prose, elle aussi!

- Tu as raison, Éloïse, mais elle a l'avantage de ses défauts.

- Comment cela?

- C'est une farce déguisée en comédie, mais une farce tout de même. Et tout ce beau monde érudit ne considère pas que ce genre de pièce fasse partie du théâtre classique.

- Tu as raison.

- De plus, c'est une pièce en trois actes présentée comme un divertissement.

- Donc, on oublie les alexandrins!

- Voilà!

- Dis-moi, Jean-Sébastien, quel rôle y joues-tu?

- Clitandre, l'amant d'Angélique qui, malheureusement, est l'épouse de George Dandin, un affreux vieillard, paysan par-dessus le marché, joué par...

- Monsieur de Molière lui-même!

- Naturellement.

- C'est comme s'il s'amusait à jouer devant la galerie son propre drame conjugal. Aime-t-il à ce point souffrir?

- Il excelle dans les rôles de vieux cocus riches et niais. Ses mimiques, ses grimaces, ses pieds largement ouverts, ses galipettes, tous ses gestes nous font crouler de rire en répétitions. Non, je crois qu'il cherche à amuser son public : quand la salle rit, il est heureux et il en rajoute...

- Oui, mais c'est un secret de polichinelle que lui et sa jeune épouse vivent séparément depuis un peu plus d'un an!

- Dis-moi, Éloïse, quel âge as-tu?

- Quinze ans, ment-elle.

- Tu en sais des choses pour une si jeune fille!

- Je ne t'ai pas entendu te plaindre de mon âge lorsque je te faisais des câlins.

- Ce n'est pas ce que j'entendais lorsque...

- Jean-Sébastien, méfie-toi du courroux d'une femme offensée!

- En quoi t'ai-je offusquée?

- Tu m'as traitée de «jeune fille»!

Le Coq s'esclaffe, croyant qu'Éloïse, encore une fois, se moque de lui:

- Tu ne vas pas bouder pour si peu?

Il a tort; piquée au vif, Mademoiselle de la Sorbetière retire sa main de celle de son ami, fait volte-face et part sans dire un mot... D'abord étonné, Le Coq fait quelques pas vers elle et dit, gouailleur : «Tu oublies ma bise», mais elle ne répond pas. Il ajoute, soudain inquiet :

- Quand nous reverrons-nous?

Elle se tourne vers lui et il voit, pour la première fois, de la colère dans ses yeux. Il craint sa réponse, mais elle ne dit rien. Elle repart dans la même direction, en courant cette fois.

* * *

- Le Coq, c'est à vous! Mais où êtes-vous donc? C'est la troisième fois ce matin que je dois vous donner votre réplique!

- Pardon, Monsieur de La Grange, je ne me sens pas tellement d'humeur à ...

- Petit, approche! interrompt Molière. Viens, viens!... Qu'est-ce qui se passe? Tu as joué sans âme les cinq dernières représentations de mon «Avare» et maintenant, à trois jours de la reprise de «Dandin», La Grange te souffle encore les mots.

- Excusez-moi, monsieur.

- Les autres! c'est fini pour aujourd'hui! Allez vous reposer: on recommence demain à 10 h! lance Molière aux comédiens qui ne répliquent pas, trop heureux d'avoir une demi-journée de repos chèrement mérité. Ils sortent à la hâte, avant d'être rappelés... Voilà! tu peux me parler de la jeune Éloïse de la Sorbetière.

- Vous savez?

- Oui.

- Vous la connaissez?

- À peine.

- Elle me manque horriblement.

- La dernière fois qu'elle est venue te voir jouer, c'était à la représentation du 9 octobre, si je ne m'abuse.

- Presque un mois...

- Tu as cherché à savoir ce qu'elle est devenue?

- Bien sûr, mais mes recherches ont été vaines; du moins jusqu'à hier soir.

- Et c'est ce que tu as appris hier qui te fait jouer si mal? Ce ne doit pas être rose comme trouvaille!...

- Monsieur, je suis désespéré! Elle est partie en Nouvelle-France avec son père qui a décidé d'aller commercer les pelleteries sur place.

- C'est loin.

- Le bateau a appareillé à la mi-octobre de Saint-Malo. S'ils ne meurent pas en mer, ils mourront dans l'hiver de ce pays.

- De toute manière, cette petite donzelle était trop jeune pour toi.

- Je ne vous permets...

- Douze, treize ans et toi, combien encore? vingt-quatre. Elle n'avait pas le choix de suivre son père.

- Vous ne comprenez rien! Elle n'est pas du tout comme ça! C'est vrai qu'elle est jeune, mais combien intelligente, combien perspicace!

- Et jolie, à part ça! Je sais, je sais, mais ça ne pouvait fonctionner à cause de l'âge...

- Notre différence d'âge n'a pas d'importance!

- J'y ai cru, moi aussi, mon petit! Et tu vois où ça me mène! Non, ça ne fonctionne jamais : la nature humaine est ainsi...

- Je veux aller la rejoindre!

- Tu divagues!

- Si elle n'est pas morte, je veux la retrouver! Je vous demanderais les gages qui me reviennent pour payer la traversée.

- Tu l'aimes tant?

- Oui, monsieur.

- C'est ce que je craignais... Molière sort une bourse et la lance au jeune homme. Tiens, petit, suis ton destin et que Dieu veille sur toi.

- Merci, monsieur, dit Le Coq en posant un genou par terre et en embrassant les mains d'un dramaturge fatigué et rhumatisant.

- Tu pars quand?

- Le 9, un navire appareille et je me suis déjà engagé comme matelot.

- N'oublie pas tes livres : c'est loin, le Canada!... Allez, va!

- Qui jouera Clitandre?

- La Grange! À te souffler tes répliques jour après jour, il doit bien les connaître un peu. Molière rit, puis il se lève et embrasse Le Coq.

- Jean-Sébastien, reviens-nous un jour!

Il desserre ses bras, se tourne et s'éloigne. C'est la dernière fois qu'il verra Le Coq, et pour cause...

* * *

L'hiver 1668 est terrible. Le navire Sainte-Anne de la Compagnie des Indes Occidentales doit s'amarrer à Gaspé, car les glaces se rendent jusqu'à Hochelaga : ça ne s'était jamais vu de mémoire d'homme. Jean-Sébastien débarque, s'achète des vêtements de coureur de bois, des raquettes et se paie un guide micmac qui accepte de le conduire à Hochelaga par voie de terre. C'est pure folie, mais comment raisonner un homme amoureux.

Aidé de son compagnon de voyage, il apprend vite les signes de la nature, les dialectes des Sauvages qu'il rencontre et les habitudes de vie de ces autochtones. Il sait ériger un abri assez solide et imperméable pour y demeurer quelques jours.

Le voyage est pénible, d'autant qu'il faut trouver des bêtes pour se nourrir, les denrées apportées n'ayant suffi qu'une ou deux semaines. Une fièvre violente s'abat sur le jeune Français; son guide le soigne du mieux qu'il peut, mais ceci retarde les hommes dans leur périple insensé.

Quelques mois passent, puis quelques autres et, avec eux, arrivent la fonte des neiges, le printemps et la santé. Lorsque Le Coq atteint Hochelaga le 16 mai 1669, il apprend que le «Sainte-Anne» était parvenu à destination, avait déchargé sa cargaison de marchandises et de nouveaux arrivants et était reparti vers la mère-patrie...

Quelques jours de recherches suffisent à trouver le comptoir commercial de Monsieur de la Sorbetière qui l'accueille chez lui avec respect et honneur : un comédien de la Troupe du Roi chez soi, quel privilège! Naturellement, Jean-Sébastien ne confie pas le véritable but de son voyage; il dit chercher de nouvelles expériences sur un continent neuf et raconte son voyage à pied. Le commerçant, qui n'est pas dupe, le laisse parler... Il le nourrit, lui offre le gîte quelques jours. Il lui propose même un poste dans son magasin: Le Coq lui promet d'y réfléchir, même s'il doit d'abord s'occuper d'une tâche importante qu'il ne spécifie pas...

Au bout d'une semaine, le jeune comédien s'enquiert de la fille unique de son hôte.

- Enfin! nous y voilà! répond Monsieur de la Sorbetière. Si vous vous étiez renseigné avant de partir, vous auriez pu vous éviter la traversée...

- Comment?

- Éloïse refusait de quitter la France et elle m'a tout conté, ne niez pas!

- Monsieur, je ...

- De toute manière, Éloïse n'est pas ici. Je l'ai mariée à un bourgeois[27] qui tient un comptoir près du rapide de la Chaudière!

Jean-Sébastien blêmit : sa bien-aimée mariée à quelqu'un d'autre et perdue dans un pays encore indompté?

- Comment avez-vous pu?

- Une simple question d'affaires, jeune homme. Monsieur Lavigueur désirait quelque chose que je possédais et moi je voulais l'exclusivité d'un territoire où il régnait en roi et maître. Comme nous disons dans ce pays magnifique, nous avons troqué une chose pour l'autre.

- Vous n'êtes qu'un rustre!

- Et toi, un comédien minable à qui je n'aurais jamais donné ma fille! Parce que c'était MA fille, Monsieur Le Coq, et j'en ai fait ce que j'en voulais!

- Salaud!

- Dehors! Quitte ma demeure à l'instant!

Jean-Sébastien, désemparé, presque sans le sou dans une bourgade contrôlée par les commerçants, retrouve son guide et le convainc de l'emmener à Ville-Marie. Ils remontent le fleuve en canot d'écorce, ne s'arrêtant que pour portager[28] ou dormir. Rendu à destination, le guide micmac refuse d'aller jusqu'à la Chute de la Chaudière par crainte des Iroquois. Pourtant, ces derniers sont beaucoup moins visibles depuis la bataille du Long-Sault.

Le jeune homme s'engage donc chez un agriculteur et lui aide à défricher la terre que celui-ci a obtenue. L'automne venu, il se joint à plusieurs chasseurs qui passeront l'hiver au Témiscaming pour en rapporter, au printemps, les plus belles peaux jamais vues... C'est l'occasion de parcourir la distance qui le sépare d'Éloïse en s'assurant une certaine protection contre les Onontagués. Ils partent donc douze canots le 26 septembre et arrivent à hauteur de la Chute de la Chaudière à la mi-octobre.

Jean-Sébastien ne voit pas sa bien-aimée et, malgré les questions qu'il pose au bourgeois de l'endroit, il n'obtient que réticence et réponses évasives. C'est que Monsieur de la Sorbetière a averti, dès le printemps précédent, Monsieur Lavigueur de l'arrivée prochaine du jeune comédien... L'époux a tout simplement bâillonné sa jeune épouse dans le grenier du magasin lorsqu'il a vu le convoi de trappeurs se pointer à l'horizon. Le Coq monte donc dans le Nord avec ses compagnons, espérant revoir son amante en revenant des contrées nordiques.

L'hiver s'installe de plus en plus à mesure que les canoteurs remontent la rivière des Outaouais. Jean-Sébastien se promet de quitter ce pays ignoble aussitôt qu'il le pourra... Le soir, dans son abri, il lit les vers de Ronsard, de Du Bellay et de La Fontaine; il lui arrive parfois de réciter quelques tirades des pièces de Monsieur de Molière à ses amis d'infortune qu'il épate par sa verve et ses prouesses. Mais le coeur n'y est pas vraiment, car il lui manque une raison de dire, de clamer, de jouer : son public favori, Éloïse de la Sorbetière! Jamais il ne consentira à l'appeler Madame Lavigueur!

* * *

Le printemps arrive enfin et Jean-Sébastien emballotte[29] presque à lui seul les peaux tant il a hâte de reprendre la route pour s'arrêter chez le marchand. Il fait si bien que les chasseurs décident de devancer leur départ, trop heureux de revoir leurs familles un peu plus tôt...

Les trappeurs arrivent donc chez Monsieur Lavigueur au moment où il ne les attend pas; d'ailleurs, c'est son épouse qui les reçoit, car le bourgeois est allé à Ville-Marie par affaires... Le Coq trouve Éloïse vieillie, amaigrie et blafarde; il ne peut réprimer un soupir lorsqu'il voit les yeux dociles de cette femme autrefois si dynamique et déterminée... Éloïse croit reconnaître le timbre de voix et jette un regard vers les trappeurs : elle chancelle lorsqu'elle aperçoit Jean-Sébastien et on doit la porter dans l'arrière-boutique et l'allonger sur une table, le temps qu'elle récupère un peu.

- Toi ici?

- Je te retrouve enfin! Laisse-moi t'embrasser!

- Non! Pas ici!

- Éloïse?!

- Pas ici! Pas dans cette prison!... Ce soir, rends-toi sur l'île, derrière les quelques habitations qui poussent autour du magasin. Tu y trouveras une mansarde : attends-moi!

- D'accord, Éloïse, mais que...

- Maintenant, pars! Les gens d'ici aiment médire de la conduite des bonnes gens comme moi. Pars! Je te retrouverai ce soir.

Il sort de l'arrière-boutique en déclarant que la patronne semble se remettre et qu'elle viendra servir les gens d'ici peu. Sans plus de cérémonie, il saisit un pain de ménage, ouvre la porte et sort...

Il trouve sans trop de difficultés l'îlot qui abrite une mansarde et décide de s'y rendre tout de suite : il attendra sa bien-aimée en lisant quelques lignes de son livre préféré. Il emprunte un canot et prend le ruisseau qui mène à l'île, accoste, tire l'embarcation sur la rive et marche vers la petite habitation abandonnée dans laquelle il entre.

La jeune femme le rejoint à la tombée de la nuit, profitant de l'absence de son époux et d'une vieille chaloupe inutilisée depuis belle lurette. Lorsque Jean-Sébastien ouvre, elle se jette dans ses bras et, collant ses lèvres aux siennes, lui sert un baiser long et désespéré, comme assoiffé d'amour :

- Voilà la bise que j'ai refusé de te donner il y a quelque temps déjà. Dis-moi que tu me pardonnes?

Le Coq, un peu surpris, se dégage doucement, tient la jeune femme à bout de bras, tentant de voir ce que ses yeux dévoilent; mais les ténèbres l'empêchent de voir quoi que ce soit.

- Il faut faire un feu, dit-il.

- Non, c'est trop dangereux. On nous verra.

- Je veux te voir, te regarder, t'examiner! Depuis le temps...

- Aimons-nous d'abord.

Elle s'approche, il la prend entre ses bras, tout contre lui, et tous deux s'étendent à même le sol et s'aiment avec fougue, sans un mot, comme pour reprendre le temps perdu... Puis, le jeune homme s'endort.

Lorsqu'il se réveille, il fait déjà jour et Éloïse a disparu. Il sort et note que la chaloupe se trouve de l'autre côté du ruisseau. Il prend donc son canot et se rend au magasin. Les trappeurs qu'il avait accompagnés au Témiscaming attendent le retour de Monsieur Lavigueur, car sa femme n'a pas le droit de troquer avec eux. Ils s'installent donc près de la rivière, édifiant des abris temporaires et veillant chaque soir autour de gros feux de grève.

Profitant de l'inattention de ses amis, le comédien se faufile jusqu'à son canot et se rend dans la mansarde de l'île. Son amante s'y trouve déjà.

Cette fois-ci, après un long baiser, ils parlent longuement de leur avenir, de la manière la plus prudente et la plus sûre de s'évader et de partir au loin. Le Coq croit qu'il faut piquer vers le Sud et tenter leurs chances du côté des Hollandais ou des Anglais qui les ramèneront sûrement en Europe; Éloïse préfère annoncer à son mari qu'elle le quitte, descendre vers Hochelaga et embarquer sur un navire français vers la mère-patrie. On ne peut qu'admirer le sang-froid et la franchise de cette femme : c'est ce que fait le jeune homme...

Le matin les surprend encore enlacés l'un contre l'autre. La femme adultère court chez elle, mais quelqu'un l'aperçoit sur la rive et se fait un devoir de tout dire au mari cocu qui arrive en après-midi. Ce dernier séquestre son épouse dans le grenier, comme il l'avait fait l'automne dernier, et attend la nuit pour se rendre sur l'île et confronter le jeune comédien.

Il comprend vite que les paroles ne donneront rien, Le Coq s'obstinant à réfuter les arguments du bourgeois. Les deux hommes en viennent aux poings; la jeunesse de Jean-Sébastien semble avoir raison de son adversaire, plus lourdaud et moins agile... C'est sans compter sur la ruse du marchand qui sort de ses vêtements une petite hache et frappe violemment son agresseur à la tempe. Ce dernier s'écroule mollement. Lavigueur s'agenouille, cueille quelques brindilles qu'il entasse au pied du mur le plus près et y met le feu. Il sort aussitôt et court à la chaloupe. Il rame pour s'éloigner de la rive, puis s'arrête et admire son oeuvre dévastatrice : la mansarde flambe déjà et le feu semble vouloir crever les ténèbres et éclairer la petite bourgade de la Chute de la Chaudière.

Soudain, les portes du bâtiment en flammes s'ouvrent et une silhouette en jaillit et se dirige vers Lavigueur, en criant et en gesticulant, les vêtements en feu. Le marchand a peur lorsqu'il comprend que le jeune homme ne crie pas de douleur, mais qu'il lui lance un message déjà issu de l'au-delà :

- Bourgeois! tu m'enlèves la vie, mais tu ne peux effacer la passion qui nous a animés, Éloïse et moi! Ton geste ne pourra pas enrayer la seule chose

qui nous ait unis, elle et moi, à part notre amour passionné : le théâtre! Il nous a unis une première fois; il continuera d'unir les amoureux et les amants ici même où tu m'as tué!...

Puis la silhouette se consume et disparaît...

* * *

Lavigueur est traduit en justice pour le meurtre de Jean-Sébastien Le Coq, mais il est relâché, malgré le témoignage de son épouse, faute de preuves, personne n'ayant trouvé le cadavre... Éloïse quitte son mari légitime et revient en France où elle se joint à la Troupe du Roi. Elle est en scène avec Molière lors de la troisième représentation du «Malade imaginaire»... Puis, plus rien.

* * *

Le Théâtre de l'Île de Hull est construit sur l'emplacement même de la mansarde qui abrita les deux jeunes amoureux l'espace de quelques nuits. Depuis la Saint-Jean-Baptiste de 1976, l'île est devenue un lieu de théâtre où la passion règne en maîtresse. À travers Jean-Sébastien Le Coq, c'est un peu de Jean-Baptiste Poquelin qui s'est installé sur ce lopin de terre pour y faire rire et rêver les passionnés du théâtre...

LA LÉGENDE DES SOURCES[30]

Pas un Blanc n'avait mis les pieds près des sources de Caledonia Springs avant qu'un certain Alexander Grant les découvre par hasard lors d'une partie de chasse. Cette découverte entraîna le développement d'un centre de villégiature et de soins thérapeutiques qui atteignit son apogée au tournant du siècle dernier, avant de se transformer et de sombrer dans un quasi-oubli depuis bientôt quarante ans...

Mais les sources sont toujours là, elles, au nombre de quatre: la source saline, la source sulfureuse, la source gazeuse et la source intermittente, aussi appelée Duncan. Et les sources étaient là bien avant leur découverte par monsieur Grant...

Selon ce que l'on m'a raconté, un grand chef indien, Tonnerre-Roulant, errait sur la rive sud de la rivière des Outaouais, en quête de gibier pour faire des provisions, car l'hiver 1699 s'annonçait long et rude. Déjà, en octobre, les premières neiges étaient tombées et elles étaient restées. Les animaux eux-mêmes avaient été surpris par cette Nature imprévisible et leur fourrure foncée contrastait avec la blancheur de l'hiver qui s'installait.

Naturellement, toute la tribu se déplaçait avec le grand chef, car il l'exigeait : il avait appris des hommes blancs la chasse par battue et demandait à tous ceux et toutes celles qui le pouvaient de courir en cercle vers un point précis, puis de revenir lentement, en criant et en frappant les hautes herbes à l'aide de perches.

Étoile-de-la-Nuit, sa fille adorée, faisait partie de cette battue et quelques-uns de ses prétendants l'accompagnaient, chacun tentant d'attirer l'attention de la jeune femme de seize ans par ses cris, sa démarche ou son flair. C'était à qui apercevrait le premier la bête traquée et parviendrait à la diriger vers le grand chasseur...

Soudain, le carcajou sortit d'un bosquet et sauta sur Étoile-de-la-Nuit qu'il mordit à l'avant-bras. Celle-ci hurla et gesticula tant et si bien que l'horrible bête, contrairement à ses habitudes, lâcha prise et s'en fut dans les bois... avant même que les autres s'approchent d'elle. Étoile-de-la-Nuit saignait beaucoup, un lambeau de chair pendant de sa blessure et elle ressentait des étourdissements.

Lorsqu'Aile-de-Corbeau arriva près d'elle, elle s'affaissa dans ses bras, blême et gémissante. Ce prétendant aguerri la posa sur un lit d'aiguilles de pins et courut chercher le sorcier. Tonnerre-Roulant, prévenu de la mésaventure de sa fille, arriva à son chevet au moment où le médecin de la tribu commençait ses incantations. Ce dernier recouvrit la plaie d'une mixtion dont lui seul connaissait le secret et il prépara un breuvage qu'il donna à la jeune fille, ce qui la calma et lui permit de dormir. Tonnerre-Roulant gronda quelques ordres brefs et laconiques : aussitôt deux guerriers confectionnèrent une civière rudimentaire, mais confortable sur laquelle on transporta la jeune femme jusqu'au village. Là, on la déposa dans la Longue Maison, près d'un feu et on la couvrit de peaux de bêtes. Le sorcier recommença ses chants sacrés et déposa, sur les joues et le front de la malade, les soupçons d'une poudre qu'il avait tirée de la minuscule bourse attachée à sa taille.

Vers le milieu de la nuit, Étoile-de-la-Nuit se mit à crier et à se tordre de douleur. Son père s'approcha et lui effleura la figure qui brûlait d'une fièvre menaçante : il découvrit sa fille quelque peu et la fit boire de l'eau, mais elle hoqueta et vomit un fiel nauséabond à ses pieds. Tonnerre-Roulant ne disait rien, mais son front plissé montrait le souci et l'angoisse qui l'accablaient devant son impuissance à repousser le mal qui rongeait sa princesse adorée. Il le sentait, elle mourait rapidement : elle ne verrait sans doute pas la prochaine lune.

Dès les premiers rayons de soleil, Aile-de-Corbeau demanda au chef la permission de s'entretenir avec lui. Tonnerre-Roulant refusa d'abord, préoccupé qu'il était par l'état de santé de sa progéniture, mais il acquiesça à la demande de ce prétendant quand Aile-de-Corbeau lui fit dire qu'il pourrait peut-être sauver Étoile-de-la-Nuit.

- Grand chef de notre peuple! Je viens te proposer un marché!

- Parle! Et explique-toi en peu de mots!

- Je sais comment guérir Étoile-de-la-Nuit.

- Es-tu sorcier?

- Non! La magie ne viendra pas de moi ni de mes prières! Je ne prétends pas être sorcier.

- Alors? Comment peux-tu guérir ma fille?

- Je sais un endroit où Manitout fait sortir un remède de la Terre et ce remède guérira ta fille.

- Que veux-tu en retour?

- Je veux Étoile-de-la-Nuit près de moi, toujours!

Tonnerre-Roulant baissa les yeux et réfléchit : Aile-de-Corbeau n'était certes pas le prétendant préféré du grand chef. Il le trouvait malhabile, gauche et veule dans les coutumes de son peuple. Il aurait choisi, parmi les autres soupirants, l'homme courageux et agile qui saurait le remplacer et conduire le peuple. Mais le temps pressait et Tonnerre-Roulant ne voyait, pour l'instant, aucune autre issue possible s'il voulait garder sa fille en vie. Il releva la tête :

- Et si tu ne réussis pas à sauver ma fille?

- Ton châtiment sera le mien.

- Tu seras banni du village.

- Que ta volonté soit faite. Maintenant, laisse-moi retrouver l'endroit où Tshe Manitout fait couler à flots les eaux de feu.

Avec l'assentiment du chef, Aile-de-Corbeau se tourna, fit quelques pas et sortit de la Longue Maison.

Jusqu'au milieu du jour, il courut à la manière des guerriers de son peuple, sur la pointe des pieds jusqu'à essoufflement, puis ralentissant à peine pour reprendre son souffle, et se remettant à courir aussitôt... Il arriva à la lisière d'une forêt de cèdres où il alluma un feu. Il coupa des branches de thuya géant qu'il traîna près d'un ruisseau à l'ombre des arbres : il en fit un grabat épais et haut, loin de la froideur du sol automnal. Quand il eut fini cette tâche, il revint au village de la même façon et par la même sente.

C'était déjà la nuit profonde lorsqu'il entra dans la Maison et s'approcha d'Étoile-de-la-Nuit. La jeune femme avait commencé à délirer, suant à profusion, les yeux clos, le visage blafard et les membres d'une raideur inhabituelle. Son souffle était court et saccadé... Le sorcier, encore auprès d'elle,

avait cessé de chanter; mais il lui prodiguait toujours des soins aussi mystérieux qu'inutiles, semblait-il. Tonnerre-Roulant s'était assoupi, bien malgré
lui, aux côtés de sa fille; il se réveilla en sursaut lorsqu'il sentit la présence
d'Aile-de-Corbeau.

- Tout est prêt, Grand Chef. Je te demande deux guerriers vigoureux et
rapides pour transporter Étoile-de-la-Nuit à travers les ténèbres jusqu'aux
eaux de la Terre.

- Prends qui tu veux! Dis-leur que c'est moi qui l'ordonne!

Aile-de-Corbeau sortit et revint aussitôt avec deux jeunes guerriers forts
et fiers qui déposèrent doucement la mourante sur la civière et partirent derrière le jeune homme qui les suppliait à chaque instant de hâter leurs pas.
Lorsqu'ils arrivèrent près du ruisseau, ils prirent la jeune Indienne et, lentement, la montèrent sur le lit de branches de cèdres. Puis, conformément au
voeu d'Aile-de-Corbeau, ils retournèrent au village.

Le jour pointait à l'horizon quand le jeune guerrier apporta de l'eau de
la première source à Étoile-de-la-Nuit. Il dut vider le contenu de son cornet
d'écorce dans la bouche de la malade, parce qu'elle était inconsciente... Il
alla tirer l'eau de la deuxième source, puis de la troisième, de la quatrième...
et vida son gobelet d'écorce de bouleau entre les lèvres entrouvertes de sa
promise. Puis, il attendit.

Vers midi, il recommença le même manège, portant aux lèvres de sa
bien-aimée les eaux des quatre sources. Il essuya le front et les joues toujours brûlantes et moites de la jeune femme. Puis, il attendit encore.

Dans la soirée, il refit les mêmes gestes, chercha quatre fois l'eau des
quatre sources différentes et abreuva la loque humaine qui gisait sur les branches aplaties du lit improvisé. Il alluma un feu, tout près, s'agenouilla en se
couvrant les épaules d'une peau de bête. Puis, il attendit de nouveau.

Il ne dormit pas, veillant celle qui serait sa femme...

Le lendemain matin, il sentit comme un souffle d'air pur lui effleurer le
front. Il se releva silencieusement, étirant les muscles endoloris de ses jambes et frottant ses genoux avec la paume des mains dans un mouvement
circulaire. Il inspira l'air frais de l'aurore, arc-bouta son dos et se frotta les
yeux. Il se dirigea ensuite vers la première source, le cornet de bouleau dans
la main.

Quand il revint auprès d'Étoile-de-la-Nuit, elle dormait toujours, mais
la fièvre avait disparu et elle avait les traits moins tirés. Il lui fit boire de
l'eau des quatre sources. Il refit le pansement de la plaie au bras. Puis, il jeta

quelques branches sèches dans le feu et entreprit de se trouver quelque aliment à se mettre sous la dent.

Trois jours complets étaient passés lorsqu'Aile-de-Corbeau revint au village, traînant sur la civière une jeune femme éveillée et souriante, malgré un teint blême et une fatigue encore évidente. Tonnerre-Roulant courut au-devant du jeune couple et, faisant fi des coutumes et des habitudes, il se jeta dans les bras de sa fille qu'il tint un bon moment près de lui. Puis, il se leva, se tourna vers le jeune homme et lui manifesta sans équivoque toute la reconnaissance d'un père qui retrouvait la fille qu'il avait cru perdue...

Aile-de-Corbeau ne se fit pas prier pour montrer au sorcier du village l'endroit où Tshe Manitout laissait sourdre l'«eau-qui-redonne-la-vie». Depuis, les Indiens ont toujours cru aux qualités médicinales de ces quatre sources. Et l'avenir leur a donné raison...

Aujourd'hui, si vous prenez l'autoroute 17 et longez la rive ontarienne de la rivière des Outaouais, entre Alfred et L'Orignal, vous arriverez au carrefour de Blue Corner. Suivez les panneaux routiers vers Caledonia Springs et rendez-vous aux sources. Vous y apercevrez les longs trottoirs, vestiges d'une époque où il y avait hôtels, magasins, usines d'embouteillage, un bureau de poste et une gare pour accueillir les touristes et les malades.

Aventurez-vous dans le bois : peut-être y découvrirez-vous les hiéro-glyphes amérindiens qui marquaient l'endroit où Aile-de-Corbeau soigna Étoile-de-la-Nuit...

LA COMPLAINTE DE CADIEUX[31]

- Cadieux! Cadieux! Une jeune Algonquine aux cheveux tressés, arborant une croix d'ébène à son cou, gravissait la pente abrupte la menant au camp, essoufflée d'avoir tant couru... Un homme d'une quarantaine d'années, robuste et énergique, sortit de sa cabane, fusil à la main.

- Cadieux! Les Onontagués! Ils arrivent!

C'était Madeleine, la femme de Jean Cadieux, qui parlait. Son vrai nom, Brebis-Égarée, avait cédé la place à un nom plus français lorsqu'elle avait été baptisée à Boucherville avant d'épouser ce chasseur-interprète de quelques années son aîné. Ce dernier continuait, malgré tout, à l'interpeller par son nom amérindien et leurs conversations de couple se déroulaient le plus souvent en langue algonquine.

- Où les as-tu vus, Brebis?

- En aval des rapides, à la pointe de l'île où je suis allée pêcher. Ils se dirigent vers nous et feront portage d'ici peu.

Cadieux et son épouse avaient passé l'hiver sur l'Île-du-Grand-Calumet avec quelques familles de chasseurs et de trappeurs. En ce début mai, ils étaient sur le point de quitter la région et de descendre la rivière des Outaouais. Les préparatifs étaient faits : les pelleteries et les vêtements emballottés, les victuailles et les casseroles empaquetés, les fusils et les munitions à portée de la main. Ils n'attendaient plus que l'arrivée des Outaouais descendant du

Témiscaming[32] pour se joindre à eux et se rendre à Ville-Marie.

En 1709, il était toujours plus prudent de voyager nombreux, car les Iroquois faisaient encore quelques poussées vers la Grande Rivière pour s'accaparer, en embuscades, des fourrures si chèrement prises pendant l'hiver.

Mais là, plus question d'attendre : il fallait déguerpir sans éveiller les soupçons de ces guerriers aux aguets. Comment faire? Le beau-frère de Cadieux, un jeune Algonquin de vingt-deux ans, proposa une manoeuvre de diversion qui permettrait aux autres de descendre les rapides sans être aperçus. Son plan offrait plusieurs avantages et un seul inconvénient.

Cadieux et lui resteraient sur les lieux et surprendraient les Onontagués sur le sentier de portage : l'effet de surprise leur permettrait d'abattre plusieurs ennemis avant d'être découverts; l'emplacement qu'ils choisiraient ferait croire qu'ils étaient plusieurs assaillants; l'attaque détournerait l'attention des portageurs[33] de la rivière et de ses rapides, ce qui faciliterait la fuite des familles à l'insu des arrivants. Enfin, il espérait que les Onontagués chercheraient à les pourchasser en forêt plutôt que de s'attarder aux fugitifs lorsqu'ils découvriraient les cabanes.

Cadieux approuva, car son beau-frère connaissait bien les habitudes belliqueuses des survenants. S'ils ne mettaient pas en oeuvre leur souricière, l'ennemi séparerait ses troupes en deux bandes, dès qu'il verrait les cabanes et les tisons encore brûlants, et se précipiterait sur les traces des fuyards dans les deux directions. L'habileté des Iroquois, sur terre comme en canot, ne souffrait aucune comparaison et ils auraient tôt fait de mettre le grappin sur les familles.

Madeleine voulut savoir quel était l'inconvénient de ce plan diabolique; Cadieux lui dit :

- Brebis-Égarée, vous allez devoir sauter les rapides du Rocher Fendu! Le portage est hors de question puisque les Onontagués arrivent par là. Vous devrez donc recommander vos âmes à Dieu et avironner avec dextérité pour éviter les écueils et les rochers acérés.

- C'est tout? demanda-t-elle.

- Non, reprit son frère cadet. Vous attendrez que nous commencions à tirer avant de mettre les embarcations à l'eau; de cette façon, nos tirs camoufleront peut-être votre départ. Quoi qu'il arrive, ne criez pas : vous éveilleriez leurs soupçons et ils viendraient à vous!

- Ce n'est pas la seule faille à ton stratagème, petit frère. Comment allez-vous vous en tirer, toi et mon mari?

- Madeleine, nous n'avons pas le temps de discuter, lui dit Cadieux. Partez vite!

- Je veux savoir! répliqua-t-elle, obstinée et immobile.

- Bon, bon! Ton frère et moi prendrons la plupart des fusils de l'expédition. Nous vous en laisserons un seul par canot. Avec nos haches et nos couteaux, nous saurons bien nous défendre...

- Quand nous vous saurons en sécurité, nous partirons aussi, en catimini, renchérit le jeune Algonquin. Et si, d'ici quelques jours, vous n'avez aucune nouvelle de nous, envoyez du renfort à notre rescousse.

Les paroles de Cadieux et de son beau-frère apaisèrent un peu la crainte de Madeleine, mais c'est quand même avec réticence qu'elle aida les autres membres de l'expédition à descendre les paquets de provisions vers la rive où l'on avait caché les canots...

Cadieux et son compagnon partirent aussitôt au-devant des guerriers iroquois, se proposant de leur barrer la route des deux extrémités à la fois.

Le chasseur se sépara de son frère par alliance et alla se cacher dans les hautes herbes. Il laissa plusieurs éclaireurs et les premiers porteurs de canots le dépasser avant d'ouvrir le feu. L'Algonquin attaqua presque simultanément, ce qui surprit les Indiens qui prirent quelque temps avant de réagir. Certains d'entre eux tombèrent, foudroyés... D'autres, plus chanceux, évitèrent les projectiles et se jetèrent à l'assaut des attaquants.

Le jeune Indien fut leur première victime : lorsqu'ils l'eurent tué, ils ne le scalpèrent pas puisqu'il n'était pas blanc; ils lui tranchèrent la tête qu'ils fixèrent à une lance; puis, ils promenèrent ce talisman dans les airs en criant aux autres assaillants de se rendre.

Cadieux, sentant le moment de se retirer venir, prit ses pénates et s'engouffra dans les terres intérieures, espérant se faufiler vers la rivière, la nuit tombée. Il courait en zigzaguant, revenait sur ses pas et brisait des branches exprès pour brouiller ses pistes.

Malgré tout, il entendait les voix des Onontagués se rapprocher de lui et il se sentait cerné de plus en plus. Que faire? Il grimpa prestement dans un arbre touffu, après s'être débarrassé, çà et là, à quelque distance, de ses fusils et des quelques provisions qu'il avait apportés. Il n'avait gardé que sa hache et son couteau. Du haut de son perchoir, il aperçut les premiers Iroquois qui trouvèrent ses fusils, ses munitions et ses victuailles; il vit aussi la tête écorchée du jeune Algonquin qu'il aimait comme un frère...

La seule chose qui l'empêchait de sombrer dans le désespoir, c'était l'idée que leur diversion avait réussi à épargner plusieurs vies, et plus spécifiquement celle de son épouse bien-aimée. Il se forçait à croire que les familles avaient réussi à sauter les rapides...

* * *

Les canots arrivèrent au lac des Deux-Montagnes, quelques jours plus tard et leurs occupants étaient tous sains et saufs. Lorsque Madeleine raconta plus tard leur mésaventure, elle fut surprise de l'incrédulité des habitants de Ville-Marie.

- Je vous dis que nous avons mis les embarcations à l'eau et que nous sommes montés en priant à voix basse. Lorsque les canots se sont retrouvés au large, dans le bouillonnement des rapides, nous avons fait appel à la bonne sainte Anne et elle nous est apparue... Soudain, nos canots se sont hissés hors des flots meurtriers et ont suivi cette apparition immaculée au-delà des Sept-Chutes jusqu'à la sécurité des eaux calmes de la rivière, en aval...

- Voyons, madame Cadieux, c'est pas croyable cette histoire-là! lui lança un bourgeois venu examiner les pelleteries sur les quais.

- Alors, Théodore, tu as perdu la foi? C'était la voix tonitruante de l'abbé Cadieux qui s'était fait entendre. Il était venu prendre des nouvelles de son frère. Il reprit : «Madeleine, Jean n'est pas avec toi?»

Brebis-Égarée dut reprendre son récit du début pour lui expliquer l'absence de son époux. À mesure qu'elle parlait, l'abbé Cadieux blêmissait : il craignait pour la vie de son frère aîné.

- Il faut faire quelque chose! Et vite! J'ai besoin de deux bons Canadiens qui n'ont pas froid aux yeux et qui manient l'aviron et le fusil comme le bon Dieu lui-même!

Plusieurs jeunes gaillards s'avancèrent; il en choisit deux qui étaient très costauds et surtout expérimentés dans l'art de pagayer. Il releva le devant de sa soutane et la noua à sa ceinture, puis il sauta dans le canot le plus près. «En route!» dit-il en lançant des avirons à ses deux compagnons.

* * *

Trois jours et trois nuits s'étaient écoulés depuis le départ de son épouse et des familles qui l'accompagnaient. Cadieux était descendu de son arbre à l'aube du troisième jour, ne voyant plus aucune trace de l'agresseur. Affaibli, courbaturé, il avait eu faim et soif; il s'était décidé à manger des fruits sauvages, très rares à cette époque de l'année, et des racines qu'il croyait comestibles.

Il erra dans les bois, à l'abri des yeux, évitant d'allumer un feu même pour se réchauffer le soir, de peur de voir revenir les envahisseurs. Au bout de quelques jours, il se dirigea vers la rivière et y chercha l'embarcation que son beau-frère et lui avaient cachée. Elle était bien à l'endroit où ils l'avaient laissée, mais on avait pris un malin plaisir à l'entailler à plusieurs reprises. Il remonta donc l'escarpement et construisit un abri rudimentaire, près du Petit-Rocher, mais à l'écart des cabanes construites par ses compagnons de voyage et d'ailleurs détruites elles aussi par les Iroquois.

Il se rendit compte, en observant minutieusement les lieux, que les Onontagués n'avaient rien laissé au hasard. Ils avaient dû être enragés devant leur impuissance à le capturer pour s'en prendre aux habitations, au canot, aux objets hétéroclites laissés sur place dans la fuite... Il découvrit aussi le corps meurtri et tailladé du jeune Algonquin et pleura devant tant de cruauté. Il lui fit une sépulture et l'enterra près de son abri, récitant par coeur le requiem des morts qu'il avait si souvent lu dans le missel que son frère lui avait donné. Cadieux fabriqua une croix et la planta tout près de la tombe de son jeune ami.

Il s'agenouilla et pria encore quelque temps, jusqu'à ce que son esprit fasse l'école buissonnière pour suivre les pistes des souvenirs.

Né à Boucherville le 12 mars 1671, il était l'aîné de cinq enfants, tous des garçons. Son père le voulait agriculteur et il le devint, s'acheta quelques arpents de terre qu'il défricha avec l'aide de sa femme Louise. Veuf à 24 ans, il a tout vendu et s'est fait coureur de bois, trappeur et chasseur, interprète entre les Blancs et les Indiens.

Son frère cadet lui reprochait sa vie d'errance et insistait pour qu'il se rapproche de Dieu et fréquente davantage l'église. Lorsque Jean revenait à Ville-Marie, Pierre, devenu prêtre, l'hébergeait au presbytère et lui montrait à lire et à écrire en utilisant les saintes évangiles et la vie des saints.

Jean rencontra Brebis-Égarée au Témiscaming et il la ramena avec lui. Encore une fois, son frère Pierre prit la situation en main, évangélisant et baptisant l'une pendant qu'il convainquait l'autre des vertus de l'abstinence. Il dut aussi parler fort pour que ses paroissiens acceptent la «sauvage» dans leur église et à la sainte table. Et c'est enfin lui qui célébra leur mariage.

Deux années déjà étaient passées depuis leur union et, malgré leurs efforts, elle n'avait pas encore porté de fruit. Cadieux savait maintenant qu'il n'aurait pas d'enfant avec Brebis-Égarée. C'était son plus grand chagrin... Il s'endormit au pied de la croix.

Réveillé en sursaut par un je-ne-sais-quoi de familier, Jean tenta de se lever; mais son corps raidi et affaibli par les nuits froides refusa d'obtempérer. Il lui sembla distinguer un canot au large, avec trois occupants, se dirigeant en amont. Se tirant de sa torpeur, il mit ses mains en porte-voix et tenta de les appeler. Le mince filet de sons qui parvint à peine à ses lèvres acheva de le faire sombrer dans un accablement indescriptible : il sanglota en silence et s'assoupit jusqu'au lendemain.

Le soleil le surprit en train de creuser une deuxième tombe, vis-à-vis celle de son beau-frère et au pied de la croix de bois; cette tombe sera la sienne... Il alla ensuite ramasser quelques branches qu'il plaça de chaque côté de son lit funèbre. Puis il chercha de l'écorce de bouleau sur laquelle il écrivit avec son couteau son «chant de mort», cette complainte célèbre rédigée juste avant de se coucher dans la fosse qu'il avait creusée pour son repos éternel.

* * *

Lorsque l'abbé Cadieux arriva avec ses deux acolytes au Petit-Rocher des Sept-Chutes, treize jours s'étaient écoulés depuis le départ de Brebis-Égarée et des autres membres du voyage. Ils s'approchèrent de la croix, se recueillirent sur la tombe du jeune Algonquin avant de se rendre compte de la présence d'un deuxième mort, à moitié enseveli sous les branches. L'abbé Cadieux reconnut immédiatement son frère Jean; il ne tarda pas non plus à découvrir la complainte que Cadieux tenait toujours entre ses mains, quand il le débarrassa de ses branches.

Les trois Canadiens pleurèrent à la lecture du chant de Cadieux. Il y racontait son errance, sa faim, sa fatigue, son ébahissement devant la cruauté inouïe de ses adversaires, son désespoir de se savoir condamné et loin des siens. Les dernières lignes étaient consacrées à sa femme Brebis-Égarée qui lui manquait énormément et avec qui il regrettait de ne pas avoir eu d'enfant...

L'abbé Cadieux enterra son frère avec des obsèques dignes du héros qu'il était, recommandant son âme à Dieu. Son sacrifice n'avait pas été vain...

Avant de partir, les deux gaillards s'approchèrent de la croix de bois, y coupèrent chacun un copeau dont ils se firent des amulettes, malgré les protestations de l'abbé. Elles les protégeraient des dangers éventuels, dirent-ils. L'abbé acquiesça sans grande conviction... Ce geste devint une coutume chez les voyageurs qui passèrent par le Petit-Rocher jusqu'à ce qu'on

remplace la croix de bois par un monument de pierre en 1905.

* * *

Qu'est devenue Brebis-Égarée? On dit qu'elle est retournée chez les siens, au Témiscaming, et qu'elle a donné naissance à un fils quelques mois plus tard : elle l'a appelé Jean Cadieux et se promettait de lui parler longuement de son père...

LA LÉGENDE DE LA BAIE DE CUNNINGHAM[34]

(d'après France Viau)

J'eus l'occasion de rencontrer, il y a déjà quelques années, une jeune fille admirable qui m'a conté, le plus naturellement du monde, cette histoire.

Croyez-le ou non, ça se passa au siècle dernier, juste devant chez moi. Il faut dire que je demeurais dans le village de Wendover au moment où j'entendis le récit, tout près de la rivière des Outaouais, à un jet de caillou...

Voici ce que France Viau m'a raconté :

«Un jour, mon père me raconta cette légende, qui lui était venue de sa mère. Elle date du temps de mon arrière-arrière-grand-père, Félix Jérémie Brazeau, né en 1842. C'est en fait à lui que cette mystérieuse et troublante histoire arriva.

«Félix Jérémie, un beau grand jeune homme costaud, survint dans les environs de Wendover à l'âge de 19 ans. Il était venu y trouver une femme et y faire sa vie; c'est pourquoi il avait quitté sa patrie et sa famille.

«Mais personne, à ce jour, ne sait d'où il venait.

«Courageux et ambitieux, il travaillait tous les hivers dans les chantiers des Ross, en haut de la Gatineau et, le printemps venu, il s'engageait comme draveur ou cageux[35] sur les eaux de la rivière des Outaouais.

«Naturellement, son arrivée à Wendover en avait fait jaser plus d'un. Toutes les jeunes filles de la région rêvaient de devenir l'épouse de ce brave garçon... Mais lui n'avait d'yeux que pour Gléphyre Gratton, qu'il avait remarquée à la messe un dimanche du mois d'avril. Il en était tombé éperdument amoureux. Elle était de deux ans son aînée, mais cela n'avait aucune importance pour lui. Il alla demander au père de la belle Gléphyre la permission de la voir, de la fréquenter si on lui en laissait l'occasion : le père, réticent devant ce survenant, accepta tout de même que le jeune homme vienne veiller à la maison "de temps en temps, mais pas trop souvent", comme il disait.

«Ils se fréquentèrent quelques mois, puis ils annoncèrent à tous leurs fiançailles, avec l'assentiment du paternel de Gléphyre, sa mère étant morte depuis quelques années déjà. Le mariage avait été fixé au printemps prochain, lorsque Félix reviendrait des chantiers et travaillerait à la drave.

«Les mois passèrent : l'hiver avait été rigoureux... Puis vint le 11 avril, une semaine exactement avant la date prévue de leur mariage. Ce jour-là, Félix Jérémie, ne se doutant pas du terrible drame qui se préparait, alla s'adonner à la drave une dernière fois. En effet, sa future épouse, Gléphyre, lui avait fait promettre de ne plus faire la drave et ainsi d'éviter de risquer sa vie inutilement. Elle craignait de se retrouver seule, mère d'enfants qu'ils voulaient nombreux, sans argent, tout ceci à cause d'un accident stupide, d'un moment de maladresse ou d'un phénomène de la Nature - qui pouvait se montrer cruelle et monstrueuse. Par amour pour sa douce Gléphyre, Félix Jérémie avait naturellement promis.

«C'était donc par ce beau vendredi après-midi qu'Adélaïde Cyr, son ancienne amante, l'avait aperçu debout sur les billes de bois, la gappe[36] à la main. On raconte qu'elle avait été folle de rage et de jalousie à l'annonce du mariage imminent. Métisse, elle pratiquait, disait-on, une forme de magie noire et la sorcellerie de ses ancêtres autochtones. Selon la légende, elle aurait utilisé ses pouvoirs maléfiques pour déchaîner un terrible orage destiné à faire périr Félix Jérémie. Il faillit effectivement mourir noyé, à cause des vagues immenses qui déferlaient sur lui. Cependant, il était bon nageur et il finit par échouer sur l'île qui sépare la rivière des Outaouais de la baie de Cunningham, sise juste derrière ma maison.

«Pendant ce temps, Gléphyre, morte d'inquiétude et de peur, égrenait son chapelet avec son père. Elle priait de toute son âme pour que son fiancé soit sain et sauf. On dit qu'elle se rendit même, au beau milieu de la tempête, sur la rive et appela son amant de toutes ses forces, malgré le vent violent et les rafales rageuses. Certains essayèrent de l'en empêcher, pensant qu'elle divaguait, qu'elle devenait folle.

«Soudain, on entendit le cri désespéré de Félix Jérémie déchirer le ciel furieux pour répondre à sa fiancée.

«Grâce à leur émouvante passion, et probablement grâce aussi à Dieu, la baie de Cunningham se calma du coup, et les eaux gelèrent, comme pour former un pont de quelques pieds[37] de largeur, laissant à Félix le loisir de revenir sur la terre ferme.

«Surpris, il courut vers Gléphyre sur l'autre rive. L'orage s'arrêta au moment même où les deux amoureux se retrouvèrent, les larmes aux yeux, à cause des si vives émotions qu'ils avaient ressenties.

«C'est en 1863, le samedi suivant, que le jeune couple se maria... comme prévu. Ils bâtirent leur maison à l'endroit même de leurs retrouvailles. C'est aujourd'hui la maison de Charles Bilodeau, l'un de leurs petits-petits-fils et le cousin de mon père.

«Adélaïde, elle, mourut dans des circonstances sombres : on la retrouva sans vie dans sa maison. Toute trempée, elle semblait avoir été frappée par la foudre durant l'orage. Fait étrange, la maison n'avait pas été brûlée par l'éclair et on ne découvrit aucune trace de brûlure ailleurs que sur son corps. Se peut-il qu'Adélaïde se trouvait à l'extérieur au moment de la tragédie? Peut-être, car certains villageois jurent sur Dieu qu'ils ont aperçu la silhouette d'un homme tout vêtu de noir apparaître de nulle part, la prendre dans ses bras et la porter jusqu'à la maison, puis disparaître comme il était venu. Était-ce un bandit ou un assassin? Moi, je pense plutôt qu'il s'agissait d'un mauvais esprit venu chercher son âme pour la punir de ses méfaits.

«De nos jours, on raconte que la baie de Cunningham reste toujours gelée plus longtemps que la rivière des Outaouais au printemps parce qu'elle forme un pont, comme pour permettre à l'esprit de Félix Jérémie d'aller retrouver celui de Gléphyre. On dit aussi que, si l'on va sur la rive un 11 avril, à l'endroit des retrouvailles du couple, on peut percevoir les rires joyeux des amoureux, hantés par les gémissements hargneux d'Adélaïde.

«Demandez à Charles Bilodeau : il n'en dort pas la nuit, tellement les rires et les cris sont obsédants...»

Voilà ce que m'a conté France... Et si ce n'était pas une légende?... Si c'était la pure vérité?...

LE CHAMP DE GUÉRETS[38]

André et Luc étaient nés à peu près en même temps, dans une petite agglomération rurale de l'Ouest québécois, à la frontière de l'Ontario. Ils étaient voisins et avaient grandi ensemble, joué ensemble et fréquenté l'école primaire ensemble. Tous deux étaient fils d'agriculteurs, Luc avait été le premier-né de sa famille tandis qu'André avait une soeur aînée, Emma.

Lorsque vint la fin des classes, les deux amis attendirent de voir ce que leur père déciderait au sujet de leur avenir : tous deux réussissaient très bien et assez aisément à l'école, quoiqu'André eût plus de facilité que son copain dans la maîtrise des sciences et des notions abstraites... Le curé demanda donc aux parents d'inscrire leur fils au séminaire dans le but d'en faire des prêtres : «Il faut bien donner à Dieu le meilleur fruit de nos récoltes», se plaisait-il à dire.

Le père de Luc acquiesça assez rapidement, fier comme un paon que le curé ait daigné penser à son fils aîné, heureux aussi d'envoyer son fils au collège Bourget de Rigaud, d'autant plus que c'est le curé qui se chargeait de payer les frais de scolarité et d'hébergement. Il y avait une autre raison aussi, plus profonde encore : cette peur de refuser, cette crainte de dire «Non!» au Bon Dieu. Il accepta donc avec empressement l'offre de Monsieur le Curé. De toute façon, le petit Luc n'avait jamais été attiré par les travaux de la ferme et le Seigneur ne l'avait pas gâté en lui donnant une santé chancelante et une charpente frêle et maigrichonne...

Monsieur Gagnon, lui, le père d'André, refusa net d'envoyer son fils au collège. Il avait déjà donné, disait-il, puisque sa belle Emma étudiait au couvent des Ursulines de Québec. Le curé l'avait convaincu de donner sa fille aînée au Bon Dieu, mais il ne fallait pas exagérer sur la bonté des gens!!! Le curé le harangua, mais rien n'y fit : Alcide Gagnon demeura ferme, précisant qu'il avait besoin des bras robustes et solides de son fils depuis qu'il s'était estropié le bras gauche l'hiver dernier. André n'irait pas au collège, André n'irait tout simplement plus à l'école : la terre avait besoin de lui, son père avait besoin de lui, et tant pis si ça ne plaisait pas à Monsieur le Curé!

Luc accepta sans rechigner le sort qu'on lui donnait, car jamais il ne lui serait venu à l'idée de contester l'autorité paternelle. D'ailleurs, il était assez content du choix de son père, même s'il n'était pas particulièrement attiré par la vie mystique : n'importe quoi était préférable à bêcher, à cultiver, à s'arracher l'âme sur une terre toute une vie durant...

André, lui, aurait aimé continuer l'école, ne serait-ce que pour trouver réponses à ses questions, telles que «Dieu existe-t-il vraiment?» ou «Pourquoi laisse-t-on mourir de faim et de soif des êtres humains comme nous?» Ces interrogations lui venaient des sermons qu'il écoutait religieusement tous les dimanches à l'église du village. Il était aussi un peu envieux parce qu'il connaissait bien son ami Luc et le savait paresseux et profiteur : à l'école primaire, il avait souvent prêté ses devoirs à Luc qui ne les avait pas faits... Mais il réprima vite ses sentiments au fond de lui puisque sa destinée et celle de son ami avaient été tracées et rien ni personne ne pourraient plus les changer.

* * *

Vingt années passèrent. Luc devint prêtre, de peine et de misère, pendant qu'André grandissait dans l'ombre de son père sur les quelques arpents de terre qu'ils possédaient.

Puis, le destin se mit de la partie, ou était-ce le Diable? Toujours est-il que Luc fut nommé curé de la paroisse de Rigaud et André épousa Louisette, fille d'un riche propriétaire terrien qui donna aux jeunes époux une terre agricole de deux cents acres sur le versant du mont Rigaud. André quitta donc son père, hargneux de le voir partir, et s'installa avec Louisette dans une demeure luxueuse faisant l'envie de tous les villageois, même de Monsieur le Curé qui n'avait pas à se plaindre dans son immense presbytère...

Nouveau venu dans les parages, André éprouva de la difficulté à se trouver un engagé pour les semailles et il dut compter sur son épouse malgré sa jeune grossesse. Il revit Luc à la messe, mais le trouva changé, grandiloquent, un peu trop «connaissant» pour lui et il décida de ne le fréquenter que pour le nécessaire : bénédiction du bétail qu'il comptait bien se procurer un jour, baptême de ses enfants, confessions et, évidemment, l'eucharistie hebdomadaire... Monsieur le Curé, par contre, voyait leurs relations d'une toute autre façon : il se mit donc à rendre des visites impromptues au jeune couple, les priant de s'arrêter de travailler un peu pour prier avec lui, pour discuter de choses et d'autres et pour préparer l'arrivée en ce monde du premier-né de Louisette. Il arrivait souvent juste avant le repas, ce qui lui valait une invitation à manger qu'il ne refusait jamais : et combien il mangeait! et buvait, ce cher Monsieur le Curé!! D'ailleurs, sa carrure et sa prestance avaient augmenté au même rythme que son assurance et ses connaissances : disparu le petit garçon chétif et malade du passé; place à un curé rondelet, quelque peu chauve, les joues et le nez rosés, le menton double et les mains dodues et blanches.

André ne disait rien : il écoutait son ancien compagnon d'enfance, regardait Louisette s'émerveiller devant le savoir de Monsieur le Curé et priait lorsque Luc s'agenouillait pour réciter le chapelet après le repas. Une autre excuse pour ne pas faire la vaisselle, se demandait André?

Il avait peine à croire que Luc eût développé une telle foi, mais Louisette - qui n'avait pas connu Luc - le trouvait tellement aimable, tellement pieux, tellement gentil... Pourquoi ne pas lui donner raison, à sa chère Louisette, dont le ventre s'était mis à pousser soudainement et à conquérir le reste de la taille qu'il entourait vaillamment... Le soir, André mettait son oreille sur cette montagne de chair et se laissait bercer par les ébats du petit qui arriverait bientôt.

* * *

Le rêve d'une vie se changea vite en cauchemar lorsque le matin de Noël 1889 André, assis dans la salle d'attente de l'hôpital, apprit de la bouche du médecin que sa femme venait de rendre l'âme en donnant naissance à un garçon mort-né qui s'était présenté par le siège... Plus rien ne comptait pour lui lorsqu'il revint à la maison; il détruisit tout ce qui lui tombait sur la main : vaisselle, bibelots, miroirs et toutes les petites choses qui attendaient, bredouilles, la venue du nouveau-né. Son beau-père tenta bien de le maîtriser, mais il ne put le raisonner : sa peine était grande, très grande, ce qui expliqua en partie son geste à l'endroit du curé.

Ce dernier se présenta chez André dans le but de lui présenter ses condoléances sincères, mais il s'y prit mal, reprochant à son ancien ami de ne pas avoir assisté à la messe de Noël. André le frappa. Oui, oui, il lui flanqua un coup de poing direct sur le nez! Et le curé saigna, il saigna du sang rouge, comme tout le monde, même s'il était un représentant de Dieu sur la Terre. Et il maudit André, il le condamna à brûler aux enfers, il lui interdit de revenir dans SON église! Puis, il partit, emmitouflé dans ses fourrures et pansant son orgueil blessé. La belle-famille d'André lui reprocha aussitôt son geste - on ne frappe pas impunément un homme de l'Église - si bien qu'il invita tous les visiteurs à déguerpir et à le laisser seul avec sa peine...

Il pleura jusqu'au Jour de l'An, puis il dormit jusqu'aux Rois... Quand il sortit de sa torpeur, il apprit de sa belle-maman que sa femme et son fils avaient été entreposés dans le cimetière paroissial, après une messe funèbre grandiose, célébrée par Monsieur le Curé. L'enterrement se ferait aussitôt le printemps arrivé.

André se rendit chez son père Alcide qui lui pardonna son départ et l'écouta raconter son deuil : il y resta jusqu'aux semailles. Il s'était refait une santé et voyait l'avenir, sinon avec joie, du moins avec moins de morosité. Il décida de planter des pommes de terre partout sur l'étendue de ses deux cents acres, afin de produire, l'automne venu, une récolte miraculeuse qu'il pourrait vendre dans la région et jusqu'à Montréal. La «patate Gagnon» deviendrait célèbre à travers la province et, pourquoi pas, peut-être aussi à travers le pays entier, s'il s'y mettait avec ardeur. Il mettrait au monde la reine des patates!...

Il entreprit de semer des pommes de terre dès les premiers jours d'avril, le dégel étant à peine arrivé. Mais la pluie et la terre boueuse rendaient sa tâche ardue et très lente : il travaillait du matin au soir, depuis les premiers rayons de soleil à l'horizon jusqu'à ce que les étoiles lui disent d'aller se coucher, mangeant en plein champ pour ne pas perdre une seconde...

Après six jours de durs labeurs, il réalisa l'ampleur de son rêve puisqu'il n'avait semé qu'une dizaine d'acres. Il fit relâche le dimanche et pria qu'on lui envoie un engagé ou deux dès le début de la semaine. Puis il mangea et pensa à Louisette qui lui manquait plus qu'il n'avait pu l'imaginer.

Il refit les mêmes gestes durant quelques semaines encore, à bout de force, sans l'aide de personne et vite désillusionné devant l'étendue de la tâche. Il alla même s'adresser à Monsieur le Curé, au presbytère évidemment, puisqu'il n'avait plus droit de cité dans l'église, mais ce dernier le renvoya sans équivoque à ses champs de patates... La rage qu'il ressentit lui redonna de l'énergie et, pendant quelques jours, il redoubla d'ardeur et couvrit la moitié de ses terres de semences. Mais il flancha : un samedi matin, il n'entendit pas le coq chanter, il ne sentit pas les rayons de soleil percer ses rideaux et lui réchauffer la figure, il ne vit pas le jour passer. Il dormit jusqu'au soir... Une journée de perdue, une journée de retard.

André sortit donc avec son fanal et entreprit, tant bien que mal, de travailler durant la nuit, trébuchant souvent, se relevant en maugréant, mais ne désespérant pas. Il fit si bien qu'il couvrit plusieurs acres avant le lever du jour. Encouragé, il décida de continuer son travail, même si c'était aujourd'hui dimanche...

Quelques voisins qui se rendaient à la messe furent surpris de le voir au beau milieu de son champ et ils le rapportèrent au curé qui ne manqua pas de rappeler, durant son sermon, que le septième jour était le jour du Seigneur, et cela même pour les pécheurs.

Après un repas gargantuesque, Monsieur le Curé demanda qu'on attelle sa jument à son carrosse et décida d'aller rendre visite à la pauvre brebis égarée de sa paroisse qu'était devenu André.

- Hé! André Gagnon! l'interpella-t-il du chemin. Approche donc, j'ai à te parler!

- Pas le temps, Monsieur le Curé! répliqua André. J'ai du travail!

- Un dimanche?! Le jour du Seigneur?! Sacrilège!

- De toutes façons, je suis déjà maudit, interdit de séjour dans la maison de Dieu et condamné aux feux de l'enfer. Que pouvez-vous me promettre encore, Monsieur le Curé? ironisa l'agriculteur.

- Fais attention, Gagnon! Le ton moqueur que tu m'adresses, c'est vers le Bon Dieu que tu le diriges! Et Dieu n'accepte pas qu'on se rie de lui!

- Je ne méprise pas Dieu, mon petit Luc, je me moque de toi et de tes menaces...

- Tu es possédé, ma foi! Ce n'est pas André Gagnon qui parle, c'est Satan ou l'un de ses sujets! Le curé se leva, sortit la grosse croix de sa ceinture et la pointa vers le cultivateur. «Vade retro satanas!» dit-il cérémonieusement, comme s'il récitait une leçon trop longtemps apprise et qui n'avait plus aucune signification...

- Bon, si tu as fini ton spectacle, mon petit Luc, retourne chez toi et laisse-moi travailler. Il n'y a personne ici qui s'intéresse à ce que tu profères.

Et André s'éloigna, malgré les cris et les invectives de Monsieur le Curé, rouge de colère et essoufflé par ses envolées oratoires. Les derniers mots qu'il entendit prononcer par le pasteur le firent quand même réfléchir : «Si tu crois que le Bon Dieu permettra que tes champs produisent le fruit de la terre, tu te trompes, fils de Satan!»

André ne craignait pas Dieu, car il savait déjà de quoi Il était capable. Il avait perdu sa femme, son fils et le droit de pratiquer sa religion dans sa paroisse. Mais ce qu'il craignait par-dessus tout, c'était de perdre sa récolte: il y avait mis tous ses espoirs, toutes ses économies, toute sa vie...

* * *

Le mois de septembre se pointa et, avec lui, le temps des récoltes. André sortit son boeuf et entreprit de cueillir ses pommes de terre. Pourtant, tout ce qu'il trouvait lorsqu'il creusait la terre, c'étaient des cailloux, plus ou moins gros, de formes diverses et variées, mais aucune trace de patates... Des cailloux, des pierres, de toutes tailles, de toutes couleurs, accrochés aux racines de ses plants de pommes de terre, comme s'il les avait semés... André se jeta à genoux dans sa glèbe, saisit quelques cailloux à pleines mains, les palpa, les tâta, les entrechoqua violemment, puis les lança à bout de bras en criant de rage... Il se releva et courut jusqu'à l'étable où il ne prit même pas le temps de seller son cheval qu'il enfourcha d'un saut et qu'il dirigea vers le village au galop. Rendu près de l'église, André arrêta son cheval, sauta au sol et escalada les marches du presbytère où il frappa avec véhémence.

C'est la servante du curé qui lui ouvrit la porte, lui recommandant le silence en le faisant entrer discrètement. Plusieurs personnes étaient entassées dans les salons exigus et parlaient à voix basses; certains regardèrent, étonnés, le nouveau venu, encore recouvert de terre et sentant le dur labeur. «Que se passait-il donc?» se demanda-t-il. On le conduisit à l'étage où il vit le corps de son ami d'enfance gisant sur les couvertures du lit : Monsieur le Curé était décédé durant la nuit, victime d'un coeur malade. André s'agenouilla et pria, cherchant qui était l'artisan de son malheur si ce n'était le curé. Il ne crut pas un instant que Dieu lui en voulût d'avoir travaillé un seul dimanche; depuis, il s'était confessé directement à Lui et Lui avait promis de ne plus jamais recommencer. «Qui pouvait bien lui avoir joué ce vilain tour?» se demandait-il en quittant le presbytère.

Il ne le sut jamais puisqu'il fut pris d'une envie pressante et irrépressible de se pendre : dès son retour, il se pendit donc à une poutre dans son étable. Le champ des guérets revint à son beau-père, le propriétaire initial,

qui le laissa aller pour un sourire : que fait-on d'une terre à cailloux?

Au tournant du siècle, on y exploita la roche, quasi-incassable, la livrant partout au pays. Elle servait étrangement à la fabrication de pierres tombales... L'affaire fonctionna allègrement jusqu'au krach de 1929, qui fit perdre aux actionnaires beaucoup d'argent. Le coup de grâce arriva lorsqu'un travailleur mourut mystérieusement, écrasé par un wagon en 1932 : l'entreprise ferma. Cette terre avait fait une autre victime, après avoir décimé la famille du pauvre André.

Aujourd'hui encore le sort de ce malheureux cultivateur fait parler les gens et s'arrêter les touristes. Si vous passez par Rigaud, en route vers le Sanctuaire Notre-Dame-de-Lourdes, jetez un coup d'oeil au champ de pierres qui en est voisin : c'était la terre d'André Gagnon, fils d'Alcide Gagnon. On l'appelle maintenant les guérets, c'est-à-dire la terre qu'on n'ensemence pas au printemps et qu'on laboure en été pour la préparer aux semailles d'automne. Parlez-en aux vieux de l'endroit: ils vous diront que, depuis cet automne-là, rien n'a jamais poussé que des pierres dans cette terre autrefois si riche.

Et à qui la faute? Au Diable, bien entendu!

LA CHASSE-GALERIE[39]

Je m'appelle Laurent Scott, je suis né à Casselman, mais je suis déménagé avec ma famille dans la basse-ville d'Ottawa il y a quelques années pour trouver de l'emploi... Les temps sont durs, alors j'ai décidé de monter aux chantiers pour amasser assez d'argent afin d'épouser ma fiancée Amanda Lavigne au printemps prochain.

Nous sommes la veille du Jour de l'An 1900 et je travaille dans les chantiers des Ross, en Haute-Gatineau depuis la fin octobre. C'est le soir et on est tous assis près du feu, dans notre cabane de bois rond, buvant un petit verre de caribou en attendant le souper.

Jos, le cuisinier, s'essuie les mains avec son tablier sale, puis s'approche de nous, un sourire en coin :

- J'ai une surprise pour vous, les gars, le boss nous a laissé quelques bouteilles de rhum de Jamaïque pour nous réchauffer le goulot en attendant la nouvelle année. Tiens, servez-vous!

Ce qui fut dit, fut fait. C'était la première fois que je goûtais à cet alcool sucré des îles du Sud : pas méchant à la longue, même si le premier verre est dur à avaler. Les bourrasques de vent frappent les carreaux de fenêtres, la neige a presque enfoui deux côtés de la cabane et grimpé jusqu'au toit : c'est un hiver canadien comme il s'en fait peu depuis longtemps.

- Les gars, c'est pas le temps d'avoir l'oeil morne et de penser à vos femmes ou à vos blondes... Ça va vous rendre triste pour rien, puisqu'il est impossible d'aller les voir dans un temps de même, d'autant plus qu'il faut travailler demain... C'est le gros Lewis, notre foreman, qui vient de parler. Chaque soir, il fait la tournée des cabanes pour s'assurer qu'on manque de rien, pour avoir le compte rendu de ce qu'on a accompli durant la journée et pour nous donner ses ordres pour le lendemain... On se demande s'il ne vient pas juste pour boire notre caribou. Il se lève, salue la compagnie et sort, laissant entrer un froid du diable qui nous glace les veines.

- Écoutez pas ça! lance Jos en s'assoyant, Lewis connaît pas de quoi sont capables de vrais bûcherons quand ils ont une idée derrière la tête. Tiens, moi par exemple, quand j'étais plus jeune, je suis allé voir ma blonde à Lavaltrie en pleine nuit du Jour de l'An et je suis revenu assez tôt le lendemain pour faire mon quart de travail, ici même, chez les frères Ross.

- Tu veux dire, commence un blanc-bec assis à côté de moi, que t'es allé en chasse-galerie?

- Oui, mon petit, en chasse-galerie! Et protégé par le Diable lui-même! J'étais pas seul : on était huit, si on compte le pauvre Baptiste, qu'on n'a jamais retrouvé!...

- Raconte-nous ton histoire, Jos, lui lancé-je pour l'encourager, car il était si bon conteur qu'on ne s'ennuyait pas avec lui.

- C'est pas une histoire, mon petit Scott, c'est la pure vérité! Je te le jure sur la tête de ma défunte mère, même si je jure pas souvent, vous le savez bien! Il attend quelques instants, nous fixant de ses yeux gris-bleu, cherchant à déceler l'effet de ses dernières paroles sur chacun de nous. Content de lui, il reprend :

- Je vais vous la conter, si vous promettez de n'en parler à personne, surtout pas à monsieur Lewis.

Nous promettons, évidemment. Jos nous ressert une tournée de jamaïque, fait cul-sec avec son verre, s'essuie les lèvres du revers de la main et commence :

«C'était en 1888, la veille du Jour de l'An, nous étions pris dans un chantier comme celui-ci, mais un peu plus au sud, parce que la compagnie n'avait pas encore tout coupé le bois à cet endroit-là. Notre cabane abritait des gens de chez nous, de Lavaltrie, et on buvait notre rhum en pensant à nos blondes et à nos femmes qui devaient s'ennuyer de nous... Vers onze heures, je suis allé m'étendre sur mon matelas, la tête bourdonnante d'alcool et les idées noires d'être si loin de ma belle Lise. J'ai dû m'endormir parce que, vers minuit, j'ai senti quelqu'un qui me secouait doucement par l'épaule. J'ouvris les yeux : c'était Baptiste Surprenant, un gars de chez nous. Il me demanda si je voulais aller danser avec ma belle Lise; je me suis levé sur un coude, me demandant si je rêvais pas, puis je l'ai poussé en lui disant de pas se moquer des gens.

- Tu veux pas venir, mon Jos? C'est correct, qu'il m'a dit, je m'en va trouver quèqu'un d'autre! Et il s'éloigna de moi. Je me suis frotté les yeux, puis j'ai bien vu qu'il blaguait pas. Je me suis levé, j'ai enfilé mon pantalon de flanelle et ma chemise à carreaux.

- Qu'est-ce qui faut que je fasse, Baptiste?

- Mets ton parka, puis viens nous retrouver dans le canot d'écorce à la clairière à Jean.

- On va pas courir la chasse-galerie?

- T'en connais d'autres façons d'aller à Lavaltrie, toi, par une nuit de même? Décide-toi, Jos, on n'a pas de temps à perdre, il faut qu'on revienne avant que le soleil se lève!

Et Baptiste est sorti, laissant la porte ouverte. J'ai pris mon parka, mes mitaines en peau de vache, mes bottes de bûcherons achetées au comptoir de la Baie d'Hudson et fournies par la compagnie et mon casque de poil. J'ai regardé autour de moi : tous les lits étaient vides. Je suis sorti en courant et je suis allé à la clairière que Jean Lapalme avait dégagée entre Noël et aujourd'hui. Quand j'ai vu le canot posé sur la neige et les gars assis avec leur aviron dans leurs mains, j'ai figé.

- Envoye! Jos! Grouille-toi! on part! m'ont lancé en choeur les occupants du canot, Baptiste à l'arrière, tenant son aviron comme un gouvernail. J'ai sauté à l'avant et quelqu'un m'a glissé un aviron entre les mains. Baptiste, de sa voix de maître-chantre, a lancé à travers les bourrasques :

- On est huit, c'est un chiffre pair, c'est ce qu'il faut! Oubliez pas : il faut revenir huit, comme on est parti! Et pas de sacrage! Et pas de boisson! Moi je va vous guider, parce que j'ai déjà couru la chasse-galerie et je connais le chemin. Il faut surtout se tenir loin des clochers d'églises. Jos, toi, t'es en avant : avertis-moi si tu vois une croix drett devant nous!... Bon, maintenant, répétez après moi :

Satan! roi des enfers, nous promettons de te donner nos âmes si, d'ici à six heures, nous disons le nom du bon Dieu ou si nous touchons une croix durant le voyage. À cette condition tu nous transporteras, à travers les airs, au lieu

où nous voulons aller et tu nous ramèneras de même au chantier!

Acabris! Acabras! Acabram!
Fais-nous voyager par-dessus les montagnes!

Le canot s'est levé doucement au-dessus de la cime des arbres, puis Baptiste a crié : «Ramez, les gars, ramez!» Et, comme des possédés du Diable, nous avons ramé. Le canot a filé comme une flèche. En quelques minutes, nous avons survolé la trace sinueuse et glacée de la Gatineau, puis nous avons atteint la rivière des Outaouais. Baptiste a navigué adroitement, de sorte qu'on a suivi la rivière jusqu'au lac des Deux-Montagnes. En quelques heures, on apercevait déjà les lumières de la ville de Montréal. Nous avons zigzagué pour éviter tous ces clochers d'églises et traverser la métropole. Nous sommes arrivés à Lavaltrie, chez le père Batissette vers deux heures et demie. Nous avons laissé le canot derrière la grange et nous sommes allés frapper à sa porte.

Le bon fermier nous a ouvert sa porte et nous a invités à rentrer, même s'il était surpris de nous voir là à une heure assez avancée. La musique jouait encore, le caribou coulait à flots et les femmes étaient belles. J'ai aperçu ma belle Lise qui dansait avec un grand escogriffe aux moustaches en queue de cochon : elle riait, la tête renversée en arrière et j'ai eu le coeur brisé. Mais, j'allais pas laisser passer une chance de danser avec elle, même si c'était la dernière fois : j'avais pas vendu mon âme au Diable pour rien! J'ai marché vers elle et j'ai touché à l'épaule de son cavalier; il s'est tourné et j'ai demandé à Lise si elle voulait m'accorder la prochaine danse : surprise de me voir là, elle a hésité, puis elle m'a dit «oui». Je suis allé attendre près des barils de caribou où j'ai calé un petit coup, un seul, je vous le jure! À côté de moi, Baptiste avait déjà avalé quelques verres et, les yeux vitreux, il regardait sa fiancée danser, la joue collée à celle de son cavalier; ce dernier la serrait de bien près et laissait courir ses mains sur le dos frivole de la jeune femme...

Lise s'est approchée et on a dansé comme de vrais diables une danse, puis une autre, puis une autre encore, les valses alternant avec les reels, les gigues suivant les danses carrées... Lise ne parlait pas, mais elle riait et ses yeux semblaient me dire combien elle était contente de me voir. Le grand escogriffe était disparu de ses pensées.

Vers quatre heures et quart, j'ai demandé un répit à Lise et je suis allé

lui chercher un verre d'eau; mais je suis jamais revenu... J'ai trouvé Baptiste assis dans le coin sur le plancher et déjà deux des bûcherons paniquaient de le voir dans cet état : c'était le temps de partir. Nous avons prévenu les autres et sommes sortis le plus discrètement qu'il était possible de le faire, compte tenu qu'on transportait le grand flanc-mou de Baptiste qui braillait à fendre l'âme... «On va lui faire prendre de l'air, ça va le dégriser!» ai-je dit au père Batissette.

Rendus dehors, nous avons couru jusqu'au canot et, avant d'y monter, nous avons jeté Baptiste dans la neige et nous l'avons lavé avec la rage des condamnés, lui lançant des injures que je ne répéterai pas ici. Il se débattait, sacrant comme un forcené, mais se dégrisant petit à petit... Puis nous sommes montés dans le canot. J'ai fait le compte : nous étions huit! J'ai pris le gouvernail et nous avons répété les paroles que le pauvre Baptiste nous avait apprises :

Acabris! Acabras! Acabram!
Fais-nous voyager par-dessus les montagnes!

Aussitôt, le canot grimpa dans les cieux et fila à un train d'enfer, car nous n'avions plus qu'une heure et demie avant que le soleil se lève sur le chantier de la Gatineau. Je gardais les deux yeux rivés devant, d'autant plus que la neige s'était mise à tomber et que personne n'avait pris ma place à l'avant du canot pour surveiller les croix. J'ai dû faire des pieds et des mains pour contourner les clochers qui se jetaient sur nous dans le ciel de Montréal, évitant chaque fois de justesse le crucifix qui aurait été fatal. Baptiste laissait aller un juron à chaque manoeuvre, car chaque secousse lui donnait le mal de mer et il vomissait le trop-plein de caribou qu'il s'était servi pendant la soirée.

Nous avons suivi la rivière des Outaouais, survolant les petits villages de Hawkesbury, de L'Orignal, de Montebello, de Papineauville, de Thurso, de Cumberland... Je ne parvenais plus à distinguer où nous étions lorsque Baptiste se leva, prit un aviron et, l'oeil torve, le fit tournoyer dans les airs. Il heurta quelque chose de dur qui fracassa son aviron dans des éclats de feu et un fracas de tonnerre : la canot pencha et nous nous sommes crus perdus. Sans doute avions-nous frappé un clocher d'église et le Diable nous attendait-il tous pour cueillir nos âmes damnées!

Je vous avoue que j'ai prié le bon Dieu avec ferveur durant tout le reste du voyage. Le canot avait repris son chemin, comme s'il connaissait le parcours par coeur, et bientôt nous nous sommes retrouvés au-dessus des forêts d'arbres qui ressemblaient à s'y méprendre à celles que nous avions survolées au début de la nuit. Serait-il possible que le bon Dieu ait entendu mes prières? Toujours est-il que le canot a buté contre la tête d'un pin énorme et nous avons tous été projetés dans les airs, pour dégringoler ensuite de branches en branches vers le sol gelé. Nos corps ont frappé les bancs de neige durcie avec assez de force pour que nous nous enfoncions de quelques pieds et que nous perdions tous connaissance...

Je me suis réveillé dans mon lit, avec un mal de dos atroce, vers huit heures. Il semble que des bûcherons des autres cabanes aient entendu un bruit sourd vers six heures, qu'ils se soient habillés et qu'ils nous aient trouvés tous les sept enfouis jusqu'au cou dans la neige : ils ont conclu que nous avions trop bu et que nous avions cuvé notre rhum dehors, dans un banc de neige du voisinage. Oui, oui, j'ai bien dit sept, parce que Baptiste, on l'a jamais retrouvé! Certains disent qu'il s'est perdu en forêt en allant faire ses besoins dans les bois... Mais, moi, je sais que Baptiste a payé le prix pour que nous autres, les sept, puissions revenir. Ah oui! j'oubliais! C'est pas un clocher que le pauvre Baptiste a frappé avec sa rame : au printemps, en descendant la Gatineau pour prendre le bateau sur la rivière des Outaouais, j'ai appris que le nouvel hôtel de ville de Hull a brûlé le matin du Jour de l'An, vers cinq heures et demie...»

Jos, s'appuyant les mains sur les genoux, se lève. Il est déjà tard et il nous invite à aller nous coucher : demain, nous devons couper notre quota de bois, même si c'est le Jour de l'An. Je me couche en pensant à ma fiancée et je m'assoupis presque aussitôt, enveloppé par l'odeur de la mélasse qui chauffe sur le poêle et des fèves au lard qui cuisent à petit feu au-dessus des braises de l'âtre : quel bon déjeuner nous aurons demain!

Vers minuit, quelqu'un me tire de mon sommeil en me secouant doucement par l'épaule : «Laurent! Laurent! Veux-tu aller danser avec ton Amanda à soir?» J'ouvre les yeux : c'est Jos, le cuisinier.

- Allez! viens! on est déjà sept! Il nous faut un huitième homme pour courir la chasse-galerie! Dépêche-toi!...

- Mais...

- T'inquiète pas! C'est pas la première fois que je cours la chasse-galerie! Pis, on s'en va juste à Hull! Qu'est-ce qui peut nous arriver si proche pour nous empêcher de revenir avant le lever du soleil?

Je me lève en un bond, je m'habille chaudement et je sors, derrière Jos.

Il ne sera pas dit qu'un Scott a manqué l'occasion de danser avec sa belle, à cause du Diable! Nous arrivons à la clairière et j'aperçois un long canot d'écorce juché sur un banc de neige folle. Jos me dit : «Saute dans le bateau! On va giguer à soir!» Les autres reprennent en choeur : «Bonne année 1900, Laurent!». Et j'ai enjambé la paroi du canot d'écorce pour m'asseoir juste à l'avant...

Acabris! Acabras! Acabram!
Fais-nous voyager par-dessus les montagnes![40]

LE QUÊTEUX[41]

Je venais à peine de quitter l'hôtel Holiday, rue McGill, à Hawkesbury, après un repas copieux où le vin avait été aussi abondant et après une réunion du syndicat qui s'était éternisée. Il était bientôt 22 h en ce 18 janvier 1974, l'hiver de ma première année d'enseignement. Il tombait une mince bruine verglaçante lorsque je me mis au volant de mon auto et que je démarrai, non sans difficulté.

Je m'engageai sur le chemin du retour : je sentais ma colère monter contre ces fabricants de voitures européennes qui osent exporter leur produit au Canada, et surtout contre moi-même de m'être acheté une Coccinelle usagée. La chaufferette fonctionnait à peine et le dégivreur encore moins : mes jambes ankylosées par le froid s'endormaient et les essuie-glace, guère en meilleur état, trébuchaient sur la mince couche de glace qui se formait et brouillait ma vue déjà embuée par tant d'alcool.

Au moment où je songeais que j'aurais dû suivre le conseil de Jacques et me louer une chambre à l'hôtel, un camion-remorque me doubla en klaxonnant bruyamment. Le bruit du criard et la proximité de ce dix-huit roues qui filait à toute allure dans un temps pareil me firent sursauter et mes bras tournèrent le volant d'un geste sec...

Je heurtai le banc de neige de plein fouet et ma voiture enfourcha ce long amas laissé par la charrue et descendit dans le fossé avant que le moteur ne cale. Je crois même que mon front heurta le rétroviseur et le pare-brise successivement. Je dis «Je crois» parce que j'ai sans doute perdu conscience une fraction de seconde; à mon retour dans le pays des vivants, je m'aperçus que le rétroviseur n'était plus à sa place, mais qu'il gisait sur la banquette arrière. Et je ressentis, tel un éclair, une douleur subite à mon front. Ma main gauche l'effleura et en revint tout ensanglantée. D'un geste d'automate, j'étirai le cou vers l'endroit où aurait dû se trouver le miroir, puis je me penchai entre les dossiers des sièges pour tenter de saisir ce qu'il en restait : en vain. Je descendis la glace latérale et nettoyai le miroir extérieur que je manipulai en ma direction : une simple coupure au-dessus de l'arcade sourcilière.

Une bourrasque me rappela soudain à la réalité : c'était le soir, presque la nuit, en plein hiver et je me trouvais dans le fossé d'une route plus ou moins passante; le vent me semblait plus froid qu'au départ... Je relevai la glace pour réfléchir : il faut bien que je me sorte de ce pétrin au plus tôt, mais comment?

J'ouvris le coffre à gants et y trouvai quelques cierges courts et des allumettes rongées par l'humidité qui s'obstinaient à se briser, à se fendre l'âme, à s'éclabousser en mille miettes et, évidemment, à refuser de jouer le rôle pour lequel elles sont sur terre : s'allumer... «Merde!» Je dus me rendre à l'évidence: il me fallait quitter cet endroit glacial pour chercher refuge ailleurs.

Après quelques essais infructueux, je réussis à ouvrir la portière en repoussant en même temps quelques kilos de neige détrempée qui adhérait au métal allemand. Je sortis et escaladai le monticule qui me ramena au chemin. L'obscurité me saisit tout d'un coup : loin des phares encore allumés de mon «bolide» accidenté, mes yeux prenaient un temps fou à s'acclimater à cet espace nocturne. J'en conclus tout de même que je devais me trouver quelque part entre L'Orignal et Alfred, plus près de L'Orignal tout de même. Mais où exactement? Devais-je courir le risque de m'éloigner de l'auto? Et pour aller dans quelle direction? Les habitués de cette route savent qu'il n'existe aucune demeure, aucun commerce, aucun appareil téléphonique à des kilomètres à la ronde... J'avais beau tenter de scruter les ténèbres, elles ne me renvoyaient qu'un néant, qu'une absence de signes humains.

Je devais me résoudre à faire quelque chose : la bruine s'était changée en flocons de neige et j'étais trempé de la tête aux pieds. Je pivotai sur moi-même, sans trop savoir ce que je cherchais lorsque je l'aperçus. Oui! je suis certain d'avoir vu un homme! un vieillard marcher dans le champ! «Ohé! Ohé! là-bas! Attendez! attendez-moi!»

Mais je n'ai pas rêvé?! J'ai bien vu un clochard aux cheveux blancs traverser le champ, s'appuyant sur un bâton noueux avec lequel il tâtait le terrain avant d'avancer... Cet homme recroquevillé sur lui-même, ou plutôt plié en deux, se dirigeait d'est en ouest, c'est-à-dire qu'il marchait parallèlement à moi, les battants de son «casque de poil» au vent et sa barbe, je crois bien que c'était une barbe, virevoltant tout près de son oreille qu'elle effleurait. «Ohé! Hé! Holà! Attendez-moi donc!»

La neige, plus dense, m'aveuglait : je clignais des yeux et il me semblait toujours discerner au moins la silhouette du vieil homme dépenaillé. Je me décidai à le suivre, à tenter de le rattraper : il devait bien se rendre quelque part dans ce temps de chien!... Je courus vers lui, du moins, je tentai de courir, mes pieds s'enfonçant jusqu'aux mollets dans cette gadoue froide et liquide. Après une minute ou deux, je dus m'arrêter, à bout de souffle, au milieu d'un terrain plat qui ne semblait mener nulle part. Pris de panique, je levai les yeux au ciel et m'époumonai contre le mauvais sort...

Une lumière attira mes yeux, puis une autre; je baissai la tête et vit devant moi, à quelques centaines de mètres tout au plus, une petite maison en bois rond dont la cheminée fumait et qui jetait à tout hasard la clarté de son âtre par les fenêtres sans rideaux. «C'est sans doute la demeure du promeneur!», me dis-je en reprenant ma course.

Je gravis les quelques marches qui conduisaient à la porte et frappai trois coups secs et lourds de fatigue.

«Par le Seigneur, qui va là?» entendis-je, perplexe, mais rassuré par cette voix... J'ai failli répondre un «C'est moi!» tout simple, mais qui ne signifiait rien. J'hésitai, puis je frappai de nouveau, plus fort en criant : «Ouvrez, pour l'amour de Dieu! Je meurs de froid!»

La porte s'ouvrit et un vieil homme apparut, bouche bée, les yeux hagards, emmitouflé dans une longue robe de chambre carmin faite de tissu épais et rêche : le maître de céans n'était pas le même homme que je poursuivais depuis quelque temps.

«Entrez! mais entrez donc!», parvint-il à articuler à travers la poudrerie sifflante qui s'engouffrait par la porte et me faisait chanceler. Une main se tendit et me tira à l'intérieur, la porte se referma...

L'homme me conduisit vers un foyer dégageant une chaleur infernale

qui m'apaisa. Il me fit asseoir dans un fauteuil vieillot et m'enjoignit d'enlever mes vêtements imbibés, du moins ceux qui me couvraient le dos pendant qu'il allait me chercher des couvertures de laine. Je tremblotais lorsqu'il est revenu et qu'il m'a jeté quelques couvertes sur le dos. J'arrivais à peine à murmurer quelques remerciements tellement mes dents s'entrechoquaient.

«Ne parlez pas, me dit-il, c'est inutile». Il partit et revint aussitôt avec un grog fumant que je bus sans hésiter. Je me laissai envahir par la chaleur et la tranquillité de cette masure aux attraits anciens. L'homme jeta une bûche dans l'âtre, tira une berceuse à côté de mon fauteuil et s'y assit... Je m'adossai et le regardai avec des yeux que je voulais reconnaissants.

«Ne me remerciez pas, jeune homme, surtout pas! C'est plutôt à moi de vous dire mille fois merci : vous me délivrez d'une tâche bien lourde, bien lourde en effet!

- Comment? Je ne saisis pas vraiment...

- Écoutez-moi d'abord, m'interrompit-il, puis vous comprendrez tout.

- D'accord, glissai-je lentement; puis j'ajoutai, inquisiteur: «Vous avez le téléphone?»

- Non, non, pas encore», dit-il en riant doucement. Son visage fraîchement rasé, ses cheveux qu'il avait pris le temps de peigner lorsqu'il était parti chercher les couvertures, sa peau rosée, tout lui donnait une allure de gentleman fortuné, sauf ses vêtements...

«Bon! je vous écoute! dis-je, intrigué.

- À la bonne heure!» reprit-il. Je notais qu'il employait des expressions surannées, une façon de parler, un je-ne-sais-quoi qui sonnait faux et que son âge avancé n'expliquait pas tout à fait. Il poursuivit :

«Si vous êtes de la région, vous avez sans doute été surpris de découvrir cette maisonnette ici, ce soir, à l'endroit où nous sommes : elle n'y est habituellement pas... Vous avez raison de me regarder ainsi, ce que je dis là m'apparaît incroyable, à moi aussi... Mais revenons un peu en arrière, s'il vous sied.

- Tiens, encore l'une de ces expressions, songeai-je.

- Vous avez aperçu un homme dans la neige, il y a quelques heures, n'est-ce pas?» J'acquiesçais lorsqu'il s'emporta : «Un homme, que dis-je! Un vieillard loqueteux, un minable petit quêteux! voilà ce qu'il était!

- Ce qu'il était?

- Oui, avant de mourir.

- Il est mort?

- Oui, j'en ai peur, jeunot! Mais, il y a longtemps de cela, c'est chose du passé! Sauf que... c'est ce qui explique que vous me trouviez sur votre chemin en cette nuit du 18 janvier. Hé oui! ce fameux 18 janvier, ce 18 janvier mémorable!

- Qu'a-t-il de particulier?

- Croyez-moi si vous voulez, mais tout a commencé le 18 janvier 1884. Oui, oui, il y a de cela quatre-vingt-dix ans exactement. J'étais un proprié-taire terrien assez... euh... à l'aise, si j'ose dire. Je possédais les terres agrico-les de la rivière jusqu'au chemin de fer, du canton d'Alfred jusqu'à la chute à Blondeau. Je louais bien quelques terrains à des agriculteurs de la région, mais à des coûts si élevés qu'ils subsistaient à peine. Et j'entassais tout cet argent ici même, dans cette maison, à la cave, dessous les sacs de pommes de terre...

- Si vous étiez si riche, pourquoi demeurer dans cette bicoque?

- Ah! vous! les gens du siècle suivant! Que vous aimez faire étalage de vos biens!» Il me regarda droit dans la pupille de mes yeux fatigués et rougis par toute cette chaleur; il ajouta : «Pas moi! Je craignais que, le sachant, quelque voleur s'amène et me dépossède de mon avoir, de chaque écu que j'avais si difficilement accumulé... Tous les soirs, je verrouillais portes et fenêtres, j'éteignais et j'allais me coucher après avoir glissé le fauteuil sur lequel vous prenez place au-dessus de la trappe qui mène à la cave. Je gar-dais aussi un fusil chargé près de mon lit.»

J'enlevai une couverture et la déposai à mes pieds; je n'osai retirer l'autre, même si elle me démangeait le torse : de la laine pure, j'ai horreur de ça!

«Puis, vint le soir du 18 janvier de l'an de grâce 1884. J'allais me coucher lorsqu'on frappa à la porte. À cette heure, je n'ouvre jamais, mais je criai tout de même : «Par le Seigneur, qui va là?», espérant que cette expres-sion éloignerait le venant. J'entendis un gémissement grelottant, je me rap-prochai de la paroi. L'inconnu avait sans doute glissé par terre, car sa voix plaintive me parvenait du bas de la porte. Il disait qu'il avait froid, tellement froid qu'il ne pouvait plus bouger; il disait qu'il ne demandait rien si ce n'était un peu de pain, un grog chaud et une place près du feu pour la nuit; il disait qu'il repartirait aussitôt le soleil levé; il disait encore que le Bon Dieu me revaudrait ça... Quel minable crétin! Penser un instant que je croirais à ses sornettes : sans doute avait-il quelques comparses silencieux, tapis con-tre le mur et prêts à bondir sur moi dès que j'ouvrirais. «Va-t'en, voleur! Déguerpis, menteur! Il n'y a rien pour toi ici! Pas de soupe! pas de pain! pas d'or! Va-t'en avant que j'aille quérir mon fusil et que je t'abatte comme le gibier de potence que tu es!» Puis, je suis allé me coucher et j'ai dormi, la main sur la gâchette. Je n'ai pas entendu le moindre cri ni la plus petite lamentation de la nuit...

«Je me suis réveillé en sursaut avec une odeur de fumée dans la gorge: c'était ma maison qui brûlait! J'ai bien tenté d'en sortir mon or, mais je suis demeuré coincé sous l'abattant de la trappe qui s'était refermée sur moi, ne me demandez pas comment! J'étais cuit!

- Mais...

- Ne m'interrompez pas, jeunot, j'achève. Il n'y en a plus pour très longtemps.»

Il toussota, je me calai dans le fauteuil, les yeux mi-clos et j'écoutai le récit de cette fable abracadabrante. Ce vieux fou me prenait pour un imbécile? Tant pis! il faisait chaud ici et je n'avais aucunement l'intention de quitter ce refuge si douillet. Je fis semblant d'être intéressé... Il reprit :

- J'arrivai devant mon Créateur et l'Archange me barra la route! «Seigneur, qu'ai-je fait de si terrible? Que puis-je faire pour effacer votre courroux?» Il me montra un vieillard en haillons qui me précédait aux portes du Paradis et l'ange s'adressa à moi : «Cet homme avait faim et tu ne l'as pas nourri; cet homme avait froid et tu ne l'as pas vêtu; cet homme est mort à ta porte à cause de ton avarice, à cause de ta cupidité! Si tu veux entrer dans le Royaume, tu dois retourner sur Terre tous les dix-huit ans, le 18 janvier, et attendre que quelqu'un vienne frapper à ta porte. Ouvre-lui et soigne-le. Tu pourras gagner le Ciel si tu accomplis ce que demande le Maître!»... Après tant d'années, quelqu'un est venu frapper, vous, jeune homme! Je commençais à désespérer! Vous m'avez sauvé en me donnant une seconde chance! Merci!... Bon, allons, je vous montre le lit : cette nuit, vous coucherez dans ma chambre.»

Il m'y conduisit, m'aida à me coucher, me borda et me souhaita une bonne nuit, avant de se retirer avec ce qui ressemblait à une lampe à l'huile. Il referma la porte de la chambre et je m'assoupis.

Le lendemain matin, je me réveillai dans un lit douillet et confortable, le mien... Je me frottai les yeux, fis voler les couvertures et m'approchai de la fenêtre : ma Coccinelle était garée dans l'entrée déblayée de l'édifice à appartements où je restais depuis septembre...

C'était en 1974, le 19 janvier exactement! Et c'est la première fois que j'ai le cran de conter ce qui s'est passé cette nuit-là...

LE PASSEUR[42]

1899, la veille d'un siècle nouveau, avec tout ce que ceci entraîne de mauvais présages, d'inventions abracadabrantes, de prémonitions apocalyptiques.

Julie de Salvail, 15 ans, fille rouquine d'un commerçant riche et prétentieux, vivait à Cushing, près du traversier qui liait ce village québécois au petit hameau de Chute-à-Blondeau, du côté ontarien. Elle était l'aînée de quatre enfants et s'occupait des tâches ménagères, allégeant le fardeau de sa mère maladive en attendant la rentrée des classes. C'était l'été...

Son père avait décidé d'inscrire Julie au couvent des Ursulines, à Québec, pour lui assurer une éducation de qualité à un coût minime : il s'agissait de l'envoyer chez les bonnes soeurs avec l'assurance qu'elle voulait devenir religieuse et consacrer sa vie à Dieu. Une lettre de monsieur le curé devrait convaincre ces chastes dames de la vocation de sa fille.

Quoique pieuse, Julie se trouvait trop jeune encore pour arrêter un tel choix, d'autant plus qu'elle avait rencontré un jeune homme lors d'un bal populaire auquel elle avait assisté en toute clandestinité.

C'était il y a quelques semaines, un samedi soir du mois de juin. Julie et ses copines Louison et Laure avaient traversé la rivière et s'étaient rendues au bal à la ferme Pilon. C'est là qu'elle avait connu Samuel MacPherson de Dalkeith, avec qui elle avait dansé toute la soirée. Il avait ensuite insisté pour les raccompagner jusqu'au chaland. Chemin faisant, il plongea :

«Mademoiselle Julie, je veux vous revoir... Avec ou sans chaperon, je veux vous revoir souvent... S'il vous plaît, évidemment.» Il attendait une réponse qui ne se fit pas attendre.

«Samuel, j'ai eu beaucoup de plaisir ce soir et je vous en remercie... Je ne sais si c'étaient la musique, la danse, ma liberté nouvelle ou votre rencontre qui m'ont fait tourner la tête : j'ai besoin de temps pour remettre de l'ordre dans mes sentiments. Vous pouvez me donner un peu de temps?

- Oui, si c'est ce dont vous avez besoin.

- Quelques jours me suffisent! Je vous reverrai mercredi prochain, ici même au quai. Nous irons nous promener et nous pourrons parler plus librement et plus froidement.

- Pas trop froidement, quand même!

- Adieu donc, Samuel MacPherson.» Elle monta sur le chaland en compagnie de ses deux copines, pendant que le jeune homme retournait à sa voiture.

Samuel «Sam» MacPherson est le fils d'un agriculteur; il a la charpente d'un boeuf musqué et la carrure d'un mastodonte. À 18 ans, il est fin prêt à prendre la relève de son vieux père qui possède les plus belles terres de ce côté sud-est de la rivière.

Le mercredi suivant, Samuel attendait depuis le lever du jour lorsque Julie se pointa avec sa soeur cadette en fin de journée. Elle était venue en carrosse sur le chaland et avait promis à son père d'être de retour avant la tombée de la nuit...

Samuel s'approcha, sourire aux lèvres, mais Julie ne daigna même pas le regarder et fonça sur le chemin du village à toute allure, évitant de justesse le jeune cultivateur qui était tombé à la renverse. Samuel laissa sortir un juron «Goddamit!», puis se leva; il se mit à épousseter ses vêtements avec son chapeau quand il aperçut une enveloppe à ses pieds. Il la prit, la décacheta et lut :

Mon cher Samuel,

J'ai écrit cette lettre car il m'était impossible de venir seule à notre rendez-vous : mon père a des soupçons depuis ma sortie de samedi dernier. Il n'a pas cru mes explications ni celles de mes deux copines dont il se méfie comme de la peste. D'ailleurs, il m'a interdit de les revoir jusqu'à la rentrée des classes...

Je dois vous avouer qu'à ce stade il nous sera impossible de nous voir, de nous fréquenter, même en cachette, puisque je serai à Québec... Eh oui! mon paternel a choisi de m'envoyer chez les Ursulines dans le but de parfaire mon éducation et de faire de moi je ne sais quoi encore.

Je suis désespérée, d'autant plus que j'ai vite mis de l'ordre dans mes émotions depuis le bal : et je sais que je vous aime!

Ça peut vous paraître incroyable, voire un peu irréfléchi. Je vous assure que je suis une femme très terre à terre, très lucide et raisonnée : ce n'est pas un simple béguin ou un coup de foudre quelconque. Je vous aime vraiment!... Et rien ne me ferait davantage plaisir que de savoir si cet amour est partagé et réciproque.

Comme vous ne pouvez m'écrire ni entrer en contact avec moi de quelque manière pour le moment, voici mon plan : je reprends le chaland d'ici une heure pour retourner à la maison avec ma soeurette. Si vous m'aimez, soyez sur le quai avec un foulard vert comme la couleur de vos yeux. (Vous voyez, je n'ai pas oublié). Si vous n'y êtes pas, je comprendrai et je me consolerai dans le cloître de mes geôlières.

Adieu.

Julie de Salvail

Où trouver un châle vert à cette heure? Où dénicher un tel foulard d'ici une heure? La panique naît au fond de son estomac, croît férocement à mesure que les minutes s'égrènent comme les Je-vous-salue-Marie d'un chapelet. Samuel tourne en rond, fait les cent pas, s'assoit sur une clôture, se relève : il est à quatre milles du village... Se laisse tomber par terre, prend son feutre entre ses mains et le fixe sans le voir...

Sans le voir? Mais, il est là, son foulard vert! il est là, devant lui! Le bourdalou de son chapeau est vert peuplier, vert glacé comme ses yeux, ses yeux un peu mouillés de joie. Samuel détache la bande de son chapeau et l'attache à sa bretelle gauche, juste à la hauteur de son épaule, puis il se dirige vers le quai.

* * *

Deux semaines sont passées depuis. Samuel n'a pas de nouvelles de sa bien-aimée. Il est pourtant certain qu'elle a vu son ruban en montant sur le chaland : elle s'était retournée l'espace d'un instant et lui avait souri en inclinant la tête. La petite soeur s'était aussi tournée vers lui avec des yeux interrogateurs. Que se passait-il?

Monsieur de Salvail attendait de pied ferme sa fille à son arrivée chez elle :

- D'où tu viens?

- Du village, mentit-elle.

- Est-ce vrai, Madeleine? demanda-t-il à la soeurette.

Elle avait si peur de son père qu'elle n'osa pas mentir : «Oui, c'est vrai, papa, mais ce n'est pas le village auquel tu penses. On a traversé.» Julie lui jeta un regard courroucé, mais il fut de courte durée car son père l'effaça avec une gifle formidable qui la terrassa. Il reprit : «Je le savais! Dorénavant, je t'interdis de sortir de cette maison sans moi, tu me comprends bien? Jusqu'à ce que j'aille te mener au train à la fin de l'été! Maintenant, va soigner ta joue tuméfiée : j'expliquerai à ta mère que tu es tombée du carrosse sur le chemin du retour.»

Julie se leva, soutint le regard de son père et sortit en courant, retenant ses larmes de douleur et de désespoir jusqu'à sa chambre. Elle y entra, claqua la porte et se jeta sur le lit, où elle saisit l'oreiller qu'elle mordit de toutes ses forces pour empêcher les sanglots de se faire trop bruyants.

Elle ne descendit pas souper ce soir-là!

Sa mère voulut aller la border en soirée, mais le père s'y opposa, prétextant que Julie serait descendue si elle avait voulu briser sa solitude. Ah! l'adolescence! il faut bien essayer de comprendre ces petites crises d'isolement...

Mais Julie n'était pas âme à se laisser vaincre par une simple gifle : elle en avait d'ailleurs reçu son lot, et un peu plus, depuis son enfance. Mais l'interdiction de sortir lui causait un ennui certain : comment revoir Samuel? comment lui dire ce qui lui arrivait?

On frappa doucement à sa porte. C'était Madeleine, toute déconfite, toute penaude, toute petite, cherchant une marque d'affection qui lui permettrait de croire que sa soeur Julie, qu'elle idolâtrait, lui pardonnait sa bourde. Julie la prit dans ses bras et l'embrassa fort; elle posa ses lèvres sur les cheveux noirs et bouclés de cette gamine chérie : «Ne t'en fais pas, tu n'y pouvais rien, ma petite Mado. M'aimes-tu toujours?» «Oh oui!», s'empressa de répondre Madeleine en serrant fort la silhouette chétive, mais déjà mûre de sa soeur.

- Allez! reprit Julie, va! Tu reviendras me voir demain et nous ferons une partie de whist ou de belote... On demandera à André et à Charles : ils cherchent leur revanche depuis la nuit des temps, pauvres garçons!

Cette dernière remarque fit rire Madeleine aux éclats. Elle adorait être jumelée à sa soeur et battre ses frères aux cartes. Elle regarda une autre fois sa soeur aînée dans les yeux et ajouta, avant de partir : «Si je peux faire quoi que ce soit pour toi, Julie, demande-le-moi!» Elle lui fit la bise sur les deux joues et sortit en fermant la porte comme s'il s'agissait d'une longue caresse...

* * *

Une semaine passa. Julie élabora un plan dans le but de revoir Sam et il incluait sa soeur cadette. Elle l'appela dans sa chambre en cet après-midi ensoleillé de juillet :

- Tu m'as dit que tu m'aiderais.

- Oui.

- J'ai besoin de toi.

- Que veux-tu que je fasse?

- Tu dois convaincre Charles de faire voler ses pigeons à partir de l'autre côté de la rivière.

- Mais, comment?

- Tu sais comme il est fier de ses oiseaux? Il s'agit de jouer sur ses sentiments pour le forcer, sans qu'il s'en rende compte, à agir comme nous le voulons.

- Si je réussis, les pigeons serviront à quoi?

- Si je connais bien mon ami Sam, il doit se trouver au quai de Chute-à-Blondeau chaque fois qu'il en a l'occasion, chaque fois que lui permet son travail. Tu l'as vu une fois...

- Le jeune homme suspect au ruban vert?

- Exact! Et moi qui croyais que tu n'avais presque rien vu, que tu ne t'étais doutée de rien.

- Ne confonds pas la jeunesse avec l'ignorance...

- Je ne le ferai plus. C'est pourquoi je fais appel à toi. Mado, mon bonheur dépend de toi, mon amour dépend de toi, mon avenir dépend de toi.

- Merci.

- De quoi?

- De me donner l'occasion de te prouver que je t'aime.

- Mais je le sais que tu m'aimes!

- Peut-être bien, mais sais-tu à quel point? Si j'avais pu résister aux yeux courroucés et fiévreux de père, crois-tu que j'aurais succombé à dire la vérité? J'ai tellement peur de lui : il est fou, tu sais, et il nous tuera toutes si nous le contrarions.

- Ne pense pas à cela. Si je m'en sors, je reviendrai te chercher avant qu'il ne t'arrive quoi que ce soit... Maintenant, voici mon plan : une fois que Charles est convaincu, il t'amène avec lui et ses pigeons de l'autre côté; en sortant du chaland, tu t'assures de te départir d'une cage, que nous aurons identifiée, pendant un moment d'inattention de notre frérot. Cette cage doit tomber entre les mains de Sam, l'homme aux yeux verts. Auparavant, nous aurons écrit un message et l'aurons attaché au voyageur ailé; nous expliquerons à Sam comment nourrir le volatile, comment lui faire une cage et comment le dresser pour qu'il revienne chez lui; nous lui montrerons à lui attacher un message et à le faire revenir chez nous à une date précise. Et le tour sera joué : nous n'aurons qu'à guetter l'arrivée de ce messager et nous arranger pour lui subtiliser la missive avant que Charles ne s'aperçoive de son retour. Après, nous pourrons correspondre de la même façon et élaborer notre plan de fuite, avant la rentrée scolaire...

- Pourquoi ne pas attendre d'être à Québec pour entrer en contact avec ton homme aux yeux verts par le courrier régulier?

- On ouvre le courrier dans ces institutions et on entre en contact avec les parents dès qu'il existe un soupçon. Non! ce doit être fait avant septembre!

- Alors, qu'est-ce qu'on attend?

- Tu seras à la hauteur?

- Tu en doutes?

- Non!

Et les deux soeurs s'embrassent, liant ainsi leur sort à ce plan ébauché dans la crainte et le désespoir, ce plan irréaliste dont les chances de succès sont aussi bonnes que les chances de retrouver l'Atlantide, continent perdu...

* * *

Le lendemain, Madeleine va trouver son frère Charles dans sa volière : il est en train de nourrir ses pigeons roucoulant et de nettoyer les cages. C'est son moment de tranquillité et il déteste qu'on le dérange, qu'on l'importune; Madeleine le sait.

- Excuse-moi, Charlot, puis-je entrer si je promets de m'asseoir et de ne rien dire?

- Qu'est-ce que tu veux encore?

- Rien... juste te voir avec tes oiseaux magnifiques...

- ...

- Alors?

- Oui, oui, tu peux rester! Passe-moi le sac, là!

Madeleine s'approche, se penche et essaie en vain de lever le sac de graines. Elle ne désespère pas et se reprend, mais elle ne réussit qu'à s'esquinter les doigts sur le jute et à s'étirer les muscles du dos.

- Ouille! j'en suis incapable! c'est trop lourd!

- Ah! les filles! bonnes à rien!

Elle aurait voulu répondre, mais le moment aurait été mal choisi. Elle dit simplement, en se rangeant pour qu'il prenne le sac :

- Excuse-moi.

- Ouais...

- Tu sais, Charles, Julie m'a dit que tes oiseaux ne peuvent même pas parcourir quelques milles...

- Elle a dit ça?

- Oui! et elle a aussi dit que, s'ils passent au-dessus d'un cours d'eau, ils sont désorientés et ils ne reviennent jamais au bercail...

- Qu'est-ce qu'elle connaît là-dedans?

- C'est ce que je lui ai dit, mais elle s'est moquée de toi et de tes pigeons : elle a dit que si tu passais tellement de temps avec eux, c'est que tu avais une cervelle d'oiseau et ...

- Arrête! Tu es sûre qu'elle a dit ça?

- Juré! Juré!

- Eh bien! On va voir ce qu'on va voir! Je vais lui montrer, moi, qui a une cervelle d'oiseau. Je vais lui prouver, à cette... à cette BUSE! que mes pigeons ne se perdent jamais.

- C'est que tu ne les as jamais sortis de leur cage... sauf quelques minutes.

- Je les préparais...

- À quoi? À faire de grands cercles dans le ciel?

- Ils sont prêts maintenant à parcourir des distances plus grandes. Et je vais vous le prouver, à toutes! Vous ne perdez rien pour attendre! Où est-elle, ta soeur?

- Dans sa chambre!

- Va la chercher!

- Vas-y toi-même! Moi, je n'ai rien à prouver! Vas-y, je vais rester ici et veiller sur tes beaux pigeons.

- Surtout, ne touche à rien! Je reviens de suite!

Il sort en marchant d'un pas alerte, du pas de celui qui est sûr de lui et décidé à jeter toute la lumière sur les performances exceptionnelles de ses petits amis... Dès qu'il est hors de vue, Madeleine s'approche d'une cage, en ouvre la portière tout en parlant au joli pigeon bleu et noir; elle sort de son corsage un papier enroulé et le fixe à la patte gauche de l'oiseau; puis, elle referme la cage... au moment où Charles revient avec Julie et André.

Une discussion, assez virulente par moments, s'ensuit : on y décide que les vols se feront dès le lendemain, à partir d'un terrain vague sur la berge ontarienne de la rivière des Outaouais. Madeleine accompagnera Charles, pour lui aider à charger et décharger les cages, tandis que Julie et André resteront à la maison, d'abord parce que Julie n'a pas le droit de sortir du domaine, mais aussi pour comptabiliser les arrivées des pigeons... Un représentant de chaque sexe aux deux endroits évitera les tricheries. Un périple de cinquante milles en ligne droite : les pigeons seront-ils à la hauteur des expectatives de leur maître? Julie se permet d'en douter, ce qui exaspère Charles et fait rire Mado et André.

* * *

Le sort en est jeté! Madeleine se retrouve à nouveau sur le chaland, assise derrière la charrette avec les douze cages d'oiseaux, pendant que Charles retient le mors aux dents de la jument rétive qui s'énerve chaque fois qu'elle fait le passage sur l'eau. Le passeur, taciturne comme à l'accoutumée, marche d'un bout à l'autre du traversier en enfonçant sa longue perche dans les flots, à hauteur de Cushing et de Chute-à-Blondeau. Il ne quitte pas des yeux la petite fille assise à l'arrière, les jambes ballantes dans le vide, les bras graciles découverts dans cette chaude journée d'été. Personne ne le remarque : le rebord de son chapeau élimé ombrage le haut de sa figure et cache ses yeux derrière une zone d'obscurité qui facilite ses regards malsains et affamés... Le chaland touche la rive et la jument hennit et s'énerve. Charles, debout sur son siège, crie au cheval de se calmer et l'invite à trotter devant...

- Hue! Hue! donc! poltronne! Allez, hue!

En quelques soubresauts, la charrette se retrouve sur le chemin menant au village. Charles guide le cheval jusqu'à un carrefour, puis il bifurque vers la droite. Il n'a pas remarqué le jeune homme aux yeux verts qui a reconnu Mado et lui a souri lorsqu'elle a fait un geste d'invite. Aussitôt, il s'est mis à courir à travers les champs, restant toujours un peu à l'écart de la voiture et évitant ainsi d'être vu par le conducteur...

Charles accélère le rythme sur ce chemin cahoteux et poussiéreux. C'est le moment que choisit Madeleine pour saisir la cage de l'oiseau bleu et noir et se laisser tomber sur la route. Le bruit des sabots et des roues empêche Charles d'entendre la chute de sa soeur et la poussière qui s'élève a vite fait de couvrir la scène qui se déroule entre une fillette aux genoux ensanglantés et un jeune homme aux yeux verts...

Quelques minutes plus tard, la voiture revient au galop, conduite par un grand frère inquiet, les cheveux au vent. Sa figure prend une mimique encore plus attristée lorsque Charles aperçoit sa soeurette étendue sur la chaussée, près du fossé. Il tire sur les guides pour arrêter la jument et bondit vers sa soeur qu'il prend dans ses bras : elle lui sourit malgré ses écorchures... Charles lui demande pardon et l'examine, cherchant quelque fracture atroce qui expliquerait le sentiment de culpabilité qu'il ressent : rien.

Il remet sa soeur dans la voiture et décide de laisser tomber son pari avec sa soeur Julie : Madeleine est plus importante qu'une simple gageure. Il n'a qu'une idée en tête : retourner à la maison et panser les plaies de sa soeur benjamine. Malgré les protestations de Mado, Charles met le cap vers le quai où le traversier l'attend; il se retrouve en terre québécoise quelques instants plus tard et lance la jument au trot, prenant soin de blottir Mado dans ses bras. Il traverse enfin les grilles du domaine paternel et se sent soulagé, même s'il sait que le courroux de son père s'abattra une autre fois sur lui. Il ne songe pas à vérifier l'état de ses pigeons : c'est André qui se chargera de les ranger dans la volière pendant que Julie et lui prendront soin de Madeleine.

* * *

Quelques jours passent. Chaque matin, au lever du jour, Julie court voir les pigeons, mais revient vite à la maison, cachant mal son désespoir. À l'aube du troisième jour, un compagnon l'attend : ses ailes bleues et noires rendent à Julie son sourire. En un tournemain, elle détache la missive de la patte gauche du pigeon et se sauve dans sa chambre.

«*Mademoiselle Julie,*

Je vous aime. J'ai parlé à mon père de notre problème et du dilemme que cause votre départ vers Québec. Même s'il n'approuve pas totalement ce que nous allons faire, me prévenant que votre père pourrait jeter la justice à nos trousses, il m'appuie et nous défendra avec l'ardeur d'un père, d'un vrai.

Mademoiselle Julie, je vous aime. Puisqu'il m'est impossible d'aller vous chercher chez votre père, je consens à respecter à la lettre votre plan. Je vous attendrai donc samedi soir prochain, lors de la pleine lune, du côté sud de la rivière. J'attendrai toute la nuit s'il le faut pour enfin vous serrer dans mes bras et vous emmener loin de ce tyran brutal et dégénéré.

Mademoiselle Julie, je vous aime. Et, puisqu'il le faut, je consens aussi à prendre chez moi votre petite soeur Madeleine dès que vous le souhaiterez. J'espère que ma lettre vous parviendra et que vous ne changerez pas d'idée entre-temps. S'il vous plaît, écrivez-moi un dernier mot et faites-le-moi parvenir par notre messager ailé. Ce sera le dernier billet doux avant que nous puissions nous susurrer notre amour de vive voix.

Mademoiselle Julie, je vous aime. Faites-moi signe et je vous attendrai au quai samedi prochain. Adieu donc.»

Julie verse quelques larmes; puis, plus déterminée que jamais, elle écrit une lettre empreinte d'amour et de dévotion. Samedi, elle y sera : rien ne pourra l'en empêcher. Et elle signe.

Elle sort en sourdine de la maison et se dirige vers les cages. Elle y saisit le pigeon rédempteur et y accroche son billet. Elle lance l'oiseau dans les airs et, aussitôt, il s'envole vers le sud. Dieu merci, personne ne l'a vue. Elle entre à nouveau chez elle et prépare le déjeuner comme d'habitude, le coeur un peu plus léger que d'ordinaire.

* * *

Sam ne reçut pas de réponse à sa lettre... Sans doute devait-il attendre encore quelques jours. Peut-être l'oiseau s'était-il perdu en allant vers sa bien-aimée, à moins que ce ne soit au retour. Quelque chasseur avait peut-être tiré le volatile, le méprenant pour une perdrix. Comment en être certain? Comment savoir? Julie avait-elle changé d'avis? L'avait-on empêchée de lui écrire? Viendra-t-elle au rendez-vous? Une seule façon de le savoir : s'y rendre tel que prévu.

* * *

C'est cette nuit ou jamais! Julie attend que toute la maisonnée dorme, puis elle ouvre la fenêtre de sa chambre qui se trouve à l'étage. Elle laisse glisser dans l'obscurité quelques draps qu'elle a liés, jette son baluchon dans le taillis et enjambe la fenêtre. Elle descend lentement jusqu'au sol où elle recouvre ses effets personnels. Puis, à demi-courbée, elle court vers les bois, désirant éviter les endroits trop éclairés par la pleine lune qui s'est pointée au firmament. Quelques milles seulement la séparent du quai de Cushing, mais elle sait que s'y rendre prendra au moins une ou deux heures par les bois. Les ronces, la terre meuble et humide, les branches invisibles qui vous flagellent les joues et les bras, les cailloux sournois qui vous font trébucher, tout ralentit la course de la jeune femme.

* * *

Julie arrive haletante, les vêtements en lambeaux à la vue du quai. Quelques chutes l'ont meurtrie, salissant ses joues, ses cheveux et son front: elle est méconnaissable lorsqu'elle met les pieds sur l'embarcadère. Elle se dirige vers la lanterne et l'allume, signifiant ainsi au passeur qu'elle veut traverser. L'adolescente n'a pas à attendre longtemps : elle croit distinguer le clapotis de la rame qui bat l'eau jusqu'à la vase et qui ressort, mue par les bras robustes et habiles du passeur... Le traversier s'en vient la chercher : quelque temps, puis elle se retrouvera dans les bras de son Samuel... Pourvu qu'il ait reçu son message! Julie entrevoit l'embarcation qui glisse sur la rivière miroitante : elle est à mi-chemin entre les rives ontarienne et québécoise. Puis, des nuages s'interposent entre la lune et la rivière et le bac disparaît dans la nouvelle obscurité. Des gouttelettes de pluie tombent, effleurant la figure de Julie qui choisit de se mettre à l'abri. La bruine se transforme vite en averse et, lorsque le passeur amarre son radeau au quai, les vents se sont levés, les vagues fouettent les parois du chaland le faisant balancer dangereusement et l'ondée devient tempête diluvienne... Impossible de distinguer quoi que ce soit à deux pas de soi!

* * *

Soudain, le batelier était à côté de Julie... Elle sursauta lorsqu'elle sentit son haleine fétide.

- Un peu tard pour se promener toute seule, mademoiselle de Salvail!...
- Vous me connaissez?
- Une belle jeune femme comme vous! Je me suis renseigné.
- Peut-on couper court à cette conversation inutile et traverser cette rivière : quelqu'un m'attend!
- Monsieur votre père sait-il que vous n'êtes pas dans votre lit à cette heure et que vous traînez pénates et baluchon en pleine nuit à travers les bois?
- Puisque je vous dis que quelqu'un m'attend de l'autre côté!
- Ah oui! Ce Samuel MacPherson! le jeune fils Irlandais!

- Vous le connaissez donc lui aussi?

- Oui! Et je l'ai vu attendre près du quai, tout à l'heure, même s'il tentait de cacher sa présence... Une pleine lune, vous savez, ma petite dame, ça éclaire même les buissons!

- Alors donc! vous l'avez vu?! Vous savez donc qu'on m'attend?!

- Ouais... et en pleine nuit!

- Et alors? rétorqua-t-elle, à la fois hautaine et craintive.

- Et en pleine tempête, reprit-il, en feignant de ne pas entendre le doute qui empreignait les paroles de la jeune fille. L'orage était maintenant déchaîné : les vents battaient les arbres, faisant s'entrechoquer les branches; les vagues heurtaient le rivage avec une véhémence inouïe, projetant des volutes d'eau dans le ciel, des éclaboussures écumantes sur les proues des bateaux de pêche tabassés de gauche à droite.

On ne traversera pas ce soir, ricana le batelier entre ses dents. À moins que...

Julie n'eut que le temps de se tourner vers lui pour écouter la suite. L'homme l'avait agrippée et avait posé ses lèvres sur les siennes, tentant d'introduire sa langue dans la bouche de la jeune fille. Elle le repoussa un peu, le temps de respirer, mais il était fort, raide et il n'avait pas lâché prise. Ses yeux dont les prunelles semblaient avoir tourné au rouge la dévisageaient de façon éhontée; il la rapprocha de lui et dit, toujours ricanant méchamment :

- Je veux bien vous faire traverser, ma petite dame! Mais ça va vous coûter... Et il posa sa main gauche sur le corsage de la jeune fille tout en la renversant sur le sol détrempé. Il se jeta sur elle et se mit à farfouiller dans les vêtements de Julie.

Mademoiselle de Salvail se rendit compte soudain de son impuissance. Elle ferma les yeux, des larmes glissèrent sur ses joues et ses poings se refermèrent sur eux. Qu'avait-elle fait? Comment avait-elle pu penser fuguer à son âge, en pleine nuit, par les bois? Pourquoi avait-elle ignoré les ordres de son père et s'était-elle mis à dos le bon Dieu qui ne respecte pas les enfants qui désobéissent à leurs parents?... Une douleur atroce la fit revenir à la réalité : elle entendit la respiration haletante de cet animal qui la prenait sans son consentement... Elle voulait tuer! mais elle en était incapable physiquement et moralement... Il fallait bien se faire une raison : elle subissait le courroux de Dieu, pour avoir péché, pour s'être sauvée...

L'homme gémit, geignit, puis ce fut terminé... Il se leva, tira la jeune fille jusqu'au chaland et la projeta sur le pont de son bac. Il dit, en saisissant sa perche :

- Chose promise, chose due! Cramponnez-vous, ma petite dame, ça va se gâter!

Julie, sanglotant, ne songeant pas au baluchon laissé sur la berge, rampa jusqu'à une bitte d'amarrage qu'elle prit à deux mains... Si Samuel pouvait être de l'autre côté, il lui en ferait voir, au passeur! Il réglerait ses comptes à cet ignoble salaud... Le rire vrillé et violent de l'homme la tira de ses réflexions; elle se tourna vers lui et malgré les bruits de l'orage l'entendit proférer distinctement ces mots fatidiques :

- Ma petite dame, votre Samuel se lassera d'attendre parce que vous n'arriverez pas... J'ai changé d'avis : je vous emmène avec moi! Et son rire reprit de plus belle pendant que les eaux s'ouvraient et formaient un gigantesque malstrom qui engouffra le traversier...

- Nooonnn...

C'était le 12 août de l'an de grâce 1899.

* * *

Samuel avait apporté son harmonica et, pour passer le temps, dès qu'il ne vit plus personne près du quai, il se mit à jouer en sourdine des airs qu'il avait entendus au bal. Il vit le traversier arriver et repartir à quelques reprises ce soir-là, ramenant chaque fois quelques passagers, mais jamais sa Julie.

La nuit était calme, la pleine lune se faisait sa complice et la bise rafraîchissait le temps plutôt humide de ce samedi. La vallée de l'Outaouais laisse chanter grillons et cigales durant son trop court été.

Le jeune MacPherson s'inquiète. La montre de gousset que son père lui a prêtée indique déjà 23 h... et Samuel n'a pas vu de chaland depuis bientôt quarante-cinq minutes...

Il regarde de l'autre côté de la rivière; c'est le calme plat : rien ne bouge, aucun feu, aucune lumière. Le traversier semble amarré pour la nuit et le passeur est sans doute dans les bras de Morphée.

Samuel se cale entre les racines d'un gros chêne et appuie sa tête sur le tronc : tant qu'à attendre, aussi bien en profiter pour dormir un peu... Julie se pointera sans doute avec le jour, puisqu'elle n'a pu le rejoindre ce soir... Et, soulagé par cette pensée, le jeune Irlandais ne tarde pas à s'assoupir.

* * *

Réveillé en sursaut par quelque chose de rugueux et d'humide, le jeune

Samuel reconnaît le chien du passeur qui lui lèche la figure.

- Diable!... Viens ici!

Le chien s'arrête, dresse les oreilles et décampe vers la voix qui l'a appelé. Le jeune homme se lève, s'approche du quai et se dirige vers le batelier :

- Pardon, m'sieur, s'il vous plaît?

- Tu veux traverser?

- Non, non! Je me demandais... Mais! Vous êtes nouveau, vous? C'est la première fois que je vous vois...

- Ouais, en effet! J'ai remplacé le vieux Théo il y a tout juste six jours...

- Vous voulez dire l'homme taciturne aux yeux fourbes et mesquins?

- Ah ça! jeune homme, je ne le sais pas! C'est mon patron qui m'a dit que je remplaçais le vieux Théo. Moi, je ne l'ai jamais vu: lorsque je suis arrivé la semaine dernière, on m'a dit qu'il avait quitté la région quelques jours auparavant...

- Ce n'est pas possible! Je... Le chien?

- Diable? C'est le chien du patron. Monsieur Furr, Loussi Furr, un homme à l'humour caustique et au regard pénétrant...

- Je croyais que le chien appartenait au vieux Théo!?

- Pas à ce que je sache... Bon, je peux vous être utile?

- Vous n'avez pas traversé une jeune fille aux cheveux roux abondants cette nuit?

Le passeur réfléchit puis, souriant, les yeux bleu clair, s'approche de Samuel :

- Allez! Un autre rendez-vous manqué? Vous en faites pas, mon bon, vous en trouverez bien une autre à votre goût qui ne vous fera pas faire le pied de grue longtemps... Je n'ai vu aucune rouquine de la nuit ni de la matinée ni de la soirée d'hier... Excusez-moi, je dois partir : quelqu'un me fait signe sur la berge québécoise.

- ...

- Ça va aller?

- Oui, oui, ça ira!... Moi aussi, je dois partir... Et Sam s'éloigne, tête basse, les idées confuses et le coeur triste. Pourquoi mademoiselle Julie l'avait-elle fait marcher? Que gagnait-elle à être si cruelle et à se moquer des gens? Il grimpe dans sa charrette et lance son cheval sur le chemin qui conduit à Dalkeith.

* * *

Quelques mois passèrent. Samuel ne reçut aucun message de sa bien-aimée. Il écrivit au couvent des Ursulines, mais toutes ses lettres revinrent, toujours cachetées, avec l'inscription «Destinataire inconnue».

Ayant obtenu la permission de son père, il s'enrôla dans la marine marchande et partit découvrir les mers du monde. Il écrivait tous les mois à son père : celui-ci notait que le chagrin de Samuel ne s'apaisait pas avec le temps ni avec l'éloignement.

Quatre années passèrent. Samuel commença à manifester le désir de revenir auprès des siens et de prendre possession de la terre, patrimoine familial depuis deux générations. William, son père, reprit un peu de vitalité lorsqu'il reçut cette missive : le voyage au long cours de son fils l'avait beaucoup marqué, cette absence devait cesser... Il attendait avec fébrilité le retour de cet exilé volontaire...

Lorsqu'il reçut le télégramme, il crut que c'était une autre lettre de son fils et il l'ouvrit avec hâte.

MR. WILLIAM MACPHERSON.STOP.NAUFRAGE DU EMPRESS OF NOVA SCOTIA.STOP.TEMPÊTE SUB-TROPICALE SUBITE, DÉVASTATRICE.STOP.AUCUN   SURVIVANT.STOP.SINCÈRES CONDOLÉANCES.STOP.

Le vieil agriculteur tomba assis sur le plancher de la cuisine, près de la porte d'entrée. Hébété, bouche bée, il relut le texte comme pour le changer, puis il laissa tomber le papier et se mit à sangloter lentement et à gémir bruyamment... Le télégramme mentionnait un autre détail : la date de cet horrible tragédie.

C'était le 12 août de l'an de grâce 1904!

EN EFFEUILLANT LA MARGUERITE[43]

(de Catherine Gagné Côté)

Tu m'aimes depuis déjà plusieurs années. Nous n'étions que des enfants et déjà j'avais une place réservée dans ton petit coeur. À cet âge, je n'étais qu'une jeune Indienne, de petite taille, aux yeux et aux cheveux noirs, au teint foncé, ayant une peur horrible des abeilles, mais pleine de vie. Toi, Renard-Rusé, tu étais comme tous les autres garçons de la tribu : un gamin à la peau foncée, aux cheveux bruns, portant toujours des mocassins aux pieds et un bracelet en cuir, ton talisman, sur lequel on pouvait lire les lettres R.R. Il ne faut pas oublier l'arc qui restait toujours accroché à ton dos ainsi que quelques flèches que tu avais fabriquées afin d'impressionner les autres garçons de ton âge.

J'avais trois ans quand je t'ai vu la première fois et, depuis, tu ne m'as jamais quittée; avec toi, j'allais me promener, je jouais, je chassais, je peignais... Nous avons fait un grand parcours ensemble et que de souvenirs nous conservons! À l'âge de quatre ans, quand nous avons attrapé notre première grosse truite rouge! Que nous étions fiers! Ou lorsque ton père est décédé suite à une embuscade tendue par les membres d'une tribu voisine. Nous avons grandi côte à côte et, aujourd'hui, nous pouvons surmonter beaucoup d'obstacles ensemble, car nous avons confiance l'un dans l'autre.

Ces vingt ans qui se sont écoulés sous nos yeux nous ont remplis de maturité, de confiance, de respect, de joie, de peine, de connaissance et c'est grâce à cela si nous grandissons chaque jour. Je suis devenue une Indienne grande et débrouillarde et toi, un guerrier habile et courageux. Nous sommes, tous deux, très appréciés au sein de la tribu.

Tu m'aimes énormément... Je l'espère. Cela faisait presque deux semaines que je n'avais reçu de tes nouvelles ou que je ne t'avais vu, car tu étais parti en mission. Depuis longtemps, tu ne m'avais invitée à aller me promener dans la région des lacs La Blanche et Long, comme nous en avions l'habitude quand nous étions tout jeunes. Cela devait faire presque deux ans que nous avions fait une telle sortie. Hier, quand je t'ai revu, tu m'as offert d'aller faire un pique-nique à l'endroit où nous avions l'habitude d'en faire. Je me demandais le pourquoi de cette invitation si soudaine, mais je me disais que c'était à cause du beau temps, des paysages magnifiques remplis de fleurs sauvages ainsi que des montagnes pleines de verdure unique que tu n'avais pas eu l'occasion de voir depuis longtemps. Mon coeur battait à vive allure juste à penser que, demain, je passerais la journée entière à tes côtés. J'espérais que ce soit une très belle journée, car la moindre gouttelette de pluie me causerait un énorme chagrin.

Je me couchai donc très tôt ce soir-là, car je devais être en pleine forme. La nuit fut l'une des plus longues de ma vie. J'attendais avec impatience le lever du soleil. J'attendais que ses rayons viennent m'annoncer cette belle journée que j'espérais de tout coeur; dès que je les vis, je me levai et me dirigeai vers la cuisine car je devais préparer un pique-nique savoureux. Après quelques heures de travail, j'avais terminé de faire la cuisine. Dans un panier j'avais donc mis des sokaïs, genre de bouchées de fromage enrobé dans une pâte de maïs du riz Misktac, riz que l'on fait rôtir, puis que l'on mélange avec des fèves rouges, du piment rouge, le tout aromatisé d'une sauce blanche, du maïs bien frais et du sanglier (comme nous en faisons l'élevage dans notre tribu, j'ai pu m'en procurer facilement). Comme dessert, nous cueillerions des baies dans la forêt.

Tu m'aimes à la folie... C'est ce que j'espérais t'entendre me dire aujourd'hui. Le temps passait et je t'attendais d'une minute à l'autre, impatiemment. Dès que je t'ai vu arriver près de notre hutte, j'ai ressenti une joie immense. Je ne savais plus quoi dire : j'attendais ce moment depuis quelques heures déjà. Depuis longtemps, j'attendais la journée où nous partirions ensemble comme il y a de cela dix ans.

Nous avons pris ce que j'avais préparé et nous sommes partis vers les lacs La Blanche et Long. Il était neuf heures et déjà nous sentions les rayons du soleil nous réchauffer; la journée s'annonçait très belle. Nous entendions les oiseaux gazouiller, les ruisseaux couler ainsi qu'une légère brise qui, elle, berçait les arbres doucement. On pouvait aussi apercevoir de magnifiques fleurs rouges, jaunes, roses, orange, violettes et blanches; avoir été une abeille, je serais allée butiner dans les unes après les autres tellement elles étaient jolies et portaient des parfums exotiques. Je me sentais si bien, je me serais crue dans l'un de mes rêves : j'étais très heureuse avec Renard-Rusé à mes côtés.

Renard-Rusé m'expliqua son voyage dans l'est avec quelques autres guerriers. Ils avaient comme mission de trouver une tribu appalache, car certains sages de notre tribu croyaient que certains descendants de nos ancêtres y vivaient encore. Ce voyage a été vain car à leur grande déception ils ne virent personne dans cette région. Par contre ils virent de magnifiques levers et couchers de soleil. Ils trouvèrent aussi des terres très fertiles sur lesquelles des personnes pourraient éventuellement s'installer. Ils virent aussi d'importants cours d'eau qui s'avéreraient peut-être utiles un jour.

Après quelques heures de route, nous arrivâmes au sommet de la montagne Ouescharini sur laquelle on avait une superbe vue des lacs La Blanche et Long. L'eau des lacs était très calme et d'un bleu vert si clair que l'on voyait les poissons. Après une route pareille, nous nous installâmes pour manger car nous avions très faim. Nous avons commencé par les sokaïs, puis nous avons dégusté le reste. Après cela, nous cueillîmes des centaines de baies : il y en avait partout.

Pour nous aider à digérer, nous avons décidé d'aller nous baigner dans le lac La Blanche qui se trouvait tout proche. L'eau était fraîche et pure. Nous avons essayé d'attraper des poissons comme nous avions l'habitude de le faire dans notre jeunesse.

Après s'être séché et m'avoir remerciée du repas succulent, Renard-Rusé, me prit par la main et m'amena au bord d'une falaise.

J'avais le vertige, mais je lui fis confiance. C'est alors qu'il me prit la main et me glissa une bague de bois qu'il avait lui-même faite. Je ne savais que dire, je restai donc bouche bée. Je ne regardais que son visage et l'expression que je voyais en disait long. Il me dit alors qu'il avait demandé à mes parents s'il pouvait m'épouser et que ceux-ci avaient accepté volontiers. J'étais toujours incapable de parler; je ne pensais jamais qu'il avait l'intention de me demander en mariage. C'est sans regret que je me jetai dans ses bras. J'aurais voulu arrêter le temps car j'étais au paradis. Renard-Rusé me demanda de ne pas bouger, le temps qu'il aille chercher quelque chose. Je me suis mise dos au ravin car je ne supportais pas de voir une telle hauteur me séparer du bas de la falaise. Quelques minutes plus tard, il revint avec un immense bouquet de fleurs. Ce bouquet était composé de marguerites, de jonquilles et de petites fleurs sauvages dont j'ignore le nom.

Je pris le bouquet dans mes bras pour mieux sentir ces fleurs. Tout d'un coup, quelques abeilles sortirent d'une fleur et inutile de dire que je fus prise de panique! Je perdis l'équilibre et, en une fraction de seconde, je me sentis tomber vers l'arrière. Renard-Rusé essaya de m'attraper, mais il était trop tard : je basculai dans le ravin...

Tu ne m'aimes pas... C'est ce que je me suis dit quand je me suis réveillée et que je n'ai pas vu Renard-Rusé à mes côtés. J'étais couchée sur un lit de paille qui m'était tout à fait inconnu. Je ne reconnaissais pas les photos sur les murs, ni les vêtements, qui traînaient sur la chaise. J'étais certaine que Renard-Rusé m'avait abandonnée. J'essayai donc de me lever afin de voir où j'étais, mais j'en étais incapable; je ressentis des douleurs atroces dès que je tentai de faire le moindre geste : quelques larmes coulèrent car j'avais tellement mal. Je croyais être condamnée à rester dans ce lit, mais pourquoi? Tout allait si bien et, tout à coup, plus rien. On m'avait tout volé. J'espérais qu'il me reste Renard-Rusé, et qu'il entre dans la chambre afin de me réconforter, mais personne ne venait. La maison me semblait vide. Je n'entendais aucun bruit et je suis certaine que, si une épingle était tombée par terre, je l'aurais entendue. Que faisaient donc les habitants de cette maison?

J'entendis soudain venir quelqu'un. À ma grande surprise, je vis que c'était un Blanc. Jamais je n'avais vu quelqu'un de race blanche en vingt ans d'existence. Je me demandais d'où il venait. Cette personne m'adressa la parole dans ma langue :

- Comment vas-tu? dit-il.

Je ne savais pas si je devais répondre. C'était peut-être quelqu'un de très méchant; je courus le risque malgré tout.

- J'ai très mal et je veux retourner dans mon village immédiatement.

- Tu ne peux pas, car tu dois guérir avant!

- Les sages de ma tribu peuvent me guérir mieux que personne d'autre, lui répondis-je.

- Il n'est pas sage de partir; de toute façon, tu ne peux pas te déplacer.

Alors tu ne bougeras pas d'ici tant que tu ne seras pas rétablie, répliqua-t-il!

J'étais fâchée, pour qui se prenait-il? Ce n'était pas à lui, un parfait inconnu, que revenait la décision; je crois que j'étais assez grande pour décider de mon sort. La nuit commençait à tomber et je n'avais pas encore revu Renard-Rusé. Peut-être s'était-il enfui? J'en venais toujours à la même conclusion qu'il m'avait abandonnée. Je devais tout oublier et simplement dormir afin de reprendre des forces.

La nuit passa très rapidement et le lendemain matin arriva. Dès que je me fus réveillée, je vis cet homme blanc à côté de mon lit. Je voulais l'ignorer, mais lui seul pouvait m'aider à guérir; si je voulais retourner dans ma tribu, je devais donc être gentille avec lui.

- Bonjour! lui dis-je.

- Bonjour!

- Je crois que je vais beaucoup mieux, je pourrais probablement repartir aujourd'hui.

- Il n'en est pas question! Tout d'abord je dois vérifier tous tes pansements et, même si tout était correct, nous ne partirions pas, car il pleut dehors.

J'étais très déçue, je devais passer une autre journée dans cette maison dont j'ignorais l'emplacement. Je voulais revoir Renard-Rusé. J'essayai donc de me retourner mais rien à faire : rien ne voulait bouger. Je n'avais vu aucune de mes blessures car des couvertures recouvraient tout, sauf ma tête. Je demandai à l'homme blanc de me montrer mes mains. Il les prit et les approcha afin que je les voie. Elles étaient d'un rouge vif, et pleines d'égratignures; ma main droite avait même plusieurs coupures. À ma grande surprise, je ne vis pas la bague que Renard-Rusé m'avait donnée la veille. J'étais donc certaine du fait qu'il ne m'aimait plus, car il m'avait enlevé la seule preuve d'amour qu'il m'avait donnée, soit la bague, et je me demandais à qui il l'offrirait maintenant.

L'homme blanc était toujours à mes côtés. Il n'arrêtait pas de me regarder droit dans les yeux.

- Je m'appelle Charles! dit-il.

Je le regardai et je me dis à moi-même, «Charles, quel nom bizarre!» Ce Charles avait les yeux verts et les cheveux d'un brun très pâle coupés très court. Il avait une cicatrice sur le front, on aurait dit la trace d'une griffe d'ours. Ces dents étaient toutes croches et l'une était d'un jaune très brillant. Il était vêtu d'un pantalon ainsi que d'une chemise bleue. Il devait mesurer une main de plus que moi et devait être âgé de 25 ans. Je me décidai alors à lui dire :

- Moi, c'est Braise-Vive, je viens de la tribu des Appalaches, du moins mon peuple semble venir de cette tribu.

Il me regarda en me souriant.

- Mon arrière-grand-père vivait avec une tribu d'Appalaches, mais il est mort depuis une vingtaine d'années.

- Quel est son nom?

- Paul Richkaw!

- Non, je n'ai jamais entendu quelqu'un prononcer ce nom-là.

- Tant pis, c'était un homme très débrouillard et qui était fasciné par les coutumes et le mode de vie des Indiens. Il vécut pendant plus de trente ans avec la même tribu et il mourut parmi eux, dans cette région. Les Indiens refusèrent de me remettre des souvenirs, et ils gardèrent tous nos trésors. C'est à moi que toute cette fortune revenait. Ils refusaient de me donner mon héritage; j'étais en colère. C'est pourquoi je revins dans cette région, afin de retrouver les biens qui me sont destinés.

- Mais où sommes-nous ici?

- Nous sommes dans la forêt Richkaw. La forêt fut nommée ainsi en l'honneur de mon grand-père.

- Je ne connais pas.

- Est-ce que tu connais les lacs La Blanche et Long, Braise-Vive?

- Certainement!

- Eh bien! nous sommes à moins d'un souffle de marche d'un de ces lacs.

- Cela veut dire que nous sommes à une demi-journée de mon village. Je ressentis soudain une douleur à ma jambe droite, comme si on venait de m'assener un coup de hache. Je criai, me tordis sur ma couche.

- Que se passe-t-il? me demanda Charles.

- Ma jambe droite me fait extrêmement mal.

- Tu permets que je regarde?

Je fis signe que oui. Il dénoua le bandage qu'il m'avait fait et mit des compresses faites d'herbes. Il y avait une coupure d'au moins deux doigts à mon mollet, cela devait être la cause de la douleur. Celle-ci s'en allait tranquillement; le remède était efficace. Je dormis un peu et, à mon réveil, Charles était toujours à mes côtés.

- Comment suis-je arrivée ici? lui demandais-je.

- J'étais près du lac La Blanche, j'étais allé m'y promener comme à tous les jours d'ailleurs, lorsque j'ai entendu crier. Je croyais que c'étaient des enfants qui se battaient, mais les cris persistèrent. Je me mis donc à courir en direction de la voix. Après quelques temps, les cris ont cessé, mais j'ai poursuivi mes recherches. Je t'ai aperçue soudain, étendue par terre et recouverte d'égratignures et de sang. Tu ne parlais plus puisque tu avais perdu connaissance. J'ai crié afin d'avoir de l'aide, mais personne n'est venu m'aider. J'ai même regardé partout autour de moi afin de trouver quelqu'un, mais pas la moindre trace d'un individu. Je t'ai donc prise dans mes bras et ramenée ici.

Un silence suivit.

- Que faisais-tu dans les bois toute seule, Braise-Vive?
- Je n'étais pas toute seule! Un ami était avec moi.
- Je n'ai vu personne.
- Il était probablement parti chercher de l'aide.
- Mais non, il t'a abandonnée.
- C'est faux, Renard-Rusé n'aurait jamais fait une chose pareille.

Tu ne m'aimeras plus jamais... Je ne pouvais croire que Renard-Rusé ne m'aime plus si soudainement. Pourquoi m'avoir abandonnée alors que tu me demandais de t'épouser? Jamais je n'aurais pensé que tu aies pu me faire ça, après tout ce que nous avions vécu ensemble. Nous avions surmonté la mort de ton père, passé au travers de périodes très creuses ainsi que de l'adolescence et maintenant tu ne pouvais plus trouver le courage de m'aider et de me ramener au village. Tu étais toujours prêt à tout pour sauver notre amitié et maintenant tu laissais tout tomber. Je ne comprenais pas. Il y avait sûrement quelque chose que Charles ne me disait pas. Ce rêve s'était transformé en un cauchemar horrible et atroce.

- As-tu faim? me demanda Charles.
- Oui.

Il alla donc me chercher de quoi manger. Il revint avec un verre rempli d'eau et une tranche de pain.

- Mange si tu veux refaire tes forces! me lança-t-il.

En très peu de temps, j'avais tout avalé.

- J'ai encore faim, Charles. J'aimerais bien avoir des baies.
- Attends-moi quelques minutes, je reviens.

Quand il revint, il avait un petit panier rempli de ces baies. Elles étaient d'un rouge vif et semblaient si tendres. Je ne pus m'empêcher de les dévorer l'une après l'autre. Je m'endormis peu de temps après.

À mon réveil, je distinguais le soleil se lever tranquillement. Le ciel était d'un bleu clair et je ne voyais aucun nuage à l'horizon. La journée s'annonçait très belle. J'essayai de me retourner et, à ma grande surprise, j'en fus capable. Mes jambes me faisaient beaucoup moins mal que la veille et elles avaient recommencé à bouger. J'avais donc repris des forces. Mes bras aussi pouvaient maintenant accomplir certains mouvements. Je décidai donc de me lever tranquillement. Je voulais voir dans quelle sorte de hutte j'étais. Dans ma chambre, il y avait un petit bureau en bois noir ainsi qu'un miroir fendu. Dans un coffre décoré de fleurs et de sculptures, on pouvait retrouver des vêtements indiens. Il y avait une petite robe brune garnie de billes rouges et vertes. Cette robe avait déjà été portée puisqu'elle était déchirée dans le bas. Il y avait aussi un pantalon fait de peau de sanglier. On pouvait lire les lettres J.B.S. dessus. En-dessous de tout ça, il y avait dans un petit coffret de bois, des lettres. Il m'était impossible de les lire puisqu'elles étaient écrites dans une langue que j'ignorais.

- Charles! où es-tu?

Il ne me répondit pas. Je décidai donc de sortir de cette petite chambre. En sortant, je suis entrée dans une autre petite pièce sombre où se trouvait plusieurs chaises, en forme de cercle. Sur une table je remarquai des livres, beaucoup de livres. Tout était écrit dans la même langue inconnue que les lettres que j'avais vues. Quelques bougies étaient placées un peu partout dans la pièce, afin de faire de la lumière lorsqu'il faisait trop noir, je suppose. Après être passée par cette pièce, j'arrivai dans la cuisine, où je découvris des chaudrons faits d'un matériau dont j'ignorais l'existence; il y avait aussi quelques chaises ainsi qu'une table sur laquelle reposait quelque chose. Je ne pouvais pas vraiment voir ce que c'était. En m'approchant, je constatai qu'il s'agissait d'un bracelet de cuir. Il était très joli; j'étais certaine de l'avoir déjà vu quelque part. Après l'avoir examiné, je pus voir les initiales R.R. Ce bracelet était donc celui de Renard-Rusé! mais comment était-il arrivé jusqu'ici? J'aperçus Charles qui revenait. Il portait un panier plein de baies.

- Bonjour! me dit-il.

- Bonjour, Charles!

- Je peux constater que tu vas beaucoup mieux ce matin. Je ne croyais pas que tu pouvais faire tant de progrès en si peu de temps.

Il déposa le panier sur la table et, croyant que je ne regardais pas, il plaça le bracelet dans un tiroir.

- Charles! où as-tu pris ce bracelet?
- Quel bracelet?
- Celui que tu viens de placer dans le tiroir!

Il ne parla pas pendant quelques instants. J'avais l'impression qu'il se sentait mal ou qu'il me cachait quelque chose.

- Je n'avais jamais vu ce bracelet avant ce matin! me répondit-il.
- Tu me mens. Tu sais quelque chose et tu ne veux pas me le dire.
- Non, je te le jure, je n'ai pas la moindre idée du propriétaire de ce bracelet ni de sa provenance.

Je ne croyais pas un mot de ce qu'il avait dit.

- Je désire retourner dans ma tribu maintenant.
- Non, je te ramènerai demain matin, si ta santé s'améliore.
- Les gens de ma tribu doivent être morts d'inquiétude. Les sages invoquent certainement les esprits chaque soir afin que je revienne dans les plus brefs délais.
- Je te ramènerai dès qu'il le sera possible.

Enfin! demain, je retournerai chez moi. Il me sera possible de savoir toute la vérité sur ce qui s'était réellement passé lors de mon accident, grâce à Renard-Rusé. Je m'ennuyais de lui ainsi que du reste de la tribu.

- Va te reposer si tu veux reprendre des forces, Braise-Vive!

Me lever m'avait demandé beaucoup de force. Lorsque j'arrivai dans la chambre, je m'étendis sur le lit et je m'endormis immédiatement. À mon réveil, Charles était là, à mes côtés.

- Es-tu prête à partir?
- Déjà?
- Mais oui, tu as dormi plus d'une journée. Tu devais être très fatiguée. Mon cheval est prêt à partir maintenant, mais seulement si tu crois pouvoir faire la route. Tout devrait bien aller, le soleil nous réchauffera car le ciel est dégagé.

Tu m'aimes un peu... J'espérais que tu aies encore une place dans ton coeur pour moi, Renard-Rusé. Plus nous approchions du village, plus j'étais nerveuse car je savais que je te verrais d'ici peu. Je ne savais plus si tu désirais toujours m'épouser ou si tout était fini. Je voulais tellement que tu me dises que tu m'aimes encore, du moins un peu. J'avais peur d'affronter la réalité, mais je n'avais pas le choix.

- Tout va bien, Braise-Vive? demanda Charles.

- Pardon? dis-je, car il venait de me tirer de mes pensées.

- Tout va bien?

- Oui, oui!

On approchait de plus en plus. Je reconnaissais les buissons où je me cachais, lorsque que je jouais à cache-cache. J'avais même passé une nuit dans ces buissons car je m'étais endormie; il s'agissait d'une excellente cachette : personne ne m'y avait jamais trouvée.

- Arrêtons-nous quelques instants, Charles! Il y a plein de baies qui poussent ici et j'ai un petit creux.

Charles m'aida à descendre de son cheval. Je mangeai une grosse poignée de ces baies, tant elles étaient délicieuses à ce temps-ci de l'année. Puis j'allai à un petit cours d'eau qui était tout prêt afin de nettoyer certaines de mes blessures. Cela me fit tellement de bien. Cette eau était si froide qu'elle me donna des frissons.

- Viens, nous repartons! s'écria Charles. Je n'ai pas l'intention de refaire cette route à la noirceur, ce soir. On ne sait jamais ce qui peut arriver.

Il m'aida à monter à cheval et nous avons continué notre route vers Ikloouck, mon village. Nous nous rapprochions de plus en plus car j'apercevais de la fumée. Des femmes devaient faire cuire la viande pour le souper.

Tu m'aimes... Puisque, dès que tu m'as vue entrer dans le village, tu t'es empressé de venir à ma rencontre.

- Braise-Vive est vivante! s'écria quelqu'un du village.

À ces mots, mes parents sortirent de notre hutte et vinrent à ma rencontre. Ils me prirent dans leurs bras et me demandèrent comment j'allais. Ils croyaient que j'étais morte.

- Renard-Rusé nous a dit que tu étais entre bonnes mains, mais, comme tu ne revenais pas, nous pensions que tu étais morte.

Je ne comprenais pas pourquoi Renard-Rusé aurait pu dire cela, puisque Charles avait dit qu'il n'avait vu personne; comment savait-il que j'étais en sécurité? Je devais voir Renard-Rusé afin que tout s'éclaircisse.

Mon père alla voir Charles et le remercia de m'avoir ramenée saine et sauve. Il lui offrit de souper avec nous.

J'allai voir mon fiancé qui m'attendait. Il me prit dans ces bras et me serra très fort.

- Je m'excuse de t'avoir laissée seule avec ce Blanc, Braise-Vive.

- Comment savais-tu que j'étais avec lui?

- C'est lui qui m'avait proposé de t'amener chez lui puisqu'il habitait tout près et comme tu n'étais pas en état de faire la route, j'acceptai.

- Il t'avait donc vu avec moi?

- Mais oui.

- Alors pourquoi m'a-t-il dit que, quand il m'a trouvée, j'étais seule et étendue par terre?

- Je n'en ai aucune idée.

- Que faisait donc Charles avec ton bracelet de cuir?

- Qui est Charles?

- Ce Blanc chez qui tu m'as laissée.

- Ah! je lui avais laissé mon bracelet car j'espérais qu'il puisse t'aider à guérir.

Tu m'aimes énormément... Car tu m'as redemandé de t'épouser.

À ces paroles, je n'ai pu retenir mes larmes de joie.

- J'avais tellement peur que tu m'aies peut-être abandonnée parce que tu ne m'aimais plus.

- Comment as-tu pu penser chose pareille, Braise-Vive?

- C'est ce que Charles m'a dit. Je ne savais plus ce qu'était la vérité, Renard-Rusé.

- Jamais je ne t'aurais laissé tomber. Tu sais que je t'aime beaucoup trop pour ça.

- Je dois retourner chez moi, je te verrai plus tard.

Renard-Rusé me donna une bise sur la joue et je partis.

Arrivée chez nous, je vis que mes parents semblaient bien s'amuser avec Charles.

- Viens t'asseoir, Braise-Vive! me dit mon père.

- Nous devons ta survie à Charles! Nous sommes très reconnaissants envers lui, me dit ma mère.

- Votre fille est très gentille et elle fut une patiente très courageuse! J'ai dû aider une fille d'une si grande beauté! dit Charles en me regardant.

Ma mère sourit et me demanda :

- Comment vas-tu maintenant, Braise-Vive?

- Je vais mieux, maman!

- Tu dois une fière chandelle à Charles.

- C'est vrai, mais je suis aussi très reconnaissante envers Renard-Rusé.

- Ne dis pas une chose pareille, ma fille. Charles ne t'a pas entièrement conté ce qui s'était passé, de peur de te blesser.

- Mais non!

- Si, je t'assure. Il ne t'a pas dit toute la vérité. Écoute bien! Quand Charles t'a trouvée par terre, tu étais seule.

- Mais non, puisque Renard-Rusé était avec moi!

- C'est moi qui parle, dit la mère, tu parleras quand j'aurai fini. Je disais donc que, quand Charles t'a trouvée, il cria afin de voir si quelqu'un était avec toi. Personne ne répondit. En te prenant, il remarqua qu'un bracelet noir était à côté de toi. Il le prit pensant qu'il devait appartenir à ton compagnon. Lorsqu'il nous l'a montré, nous avons compris immédiatement que Renard-Rusé s'était sauvé de peur d'être condamné pour t'avoir poussée du haut de la falaise.

- Ce n'est pas vrai!

- Ton père et moi avons beaucoup réfléchi : tu ne peux être l'épouse d'un lâche! Nous n'accordons plus ta main à Renard-Rusé.

- Vous ne pouvez pas revenir sur votre décision.

- N'oublie pas que les parents doivent donner leur accord le jour du mariage. Nous avons arrêté notre choix sur quelqu'un d'autre, plus honnête, plus fiable et plus débrouillard. Nous sommes convaincus que tu seras heureuse avec lui.

- Je ne veux personne d'autre que Renard-Rusé.

- Tu devras t'y faire, Braise-Vive, car tu épouseras Charles!

Je ne pouvais pas en croire mes oreilles. Comment cela se pouvait-il? Pourquoi Charles avait-il menti à mes parents? Comment pourrais-je dire cela à Renard-Rusé? Si j'avais pu, je serais partie très loin avec Renard-Rusé.

Charles avait dit à mes parents que, s'ils acceptaient que je l'épouse, il leur rapporterait des chaudrons au village puisque nous n'en avions pas. Dans notre village, nous nous servions de plats faits de bois. Mes parents n'avaient pu refuser une telle proposition et, comme ils croyaient que Charles était mon sauveur, c'était à lui que revenait l'honneur de m'épouser d'après une ancienne coutume indienne.

Tu m'aimes à la folie... Malgré le fait que jamais je ne pourrai t'épouser. Je devais repartir avec Charles dès le lendemain matin afin d'aller chercher les casseroles. Mes parents avaient confiance en lui; ils croyaient même que j'étais celle qui mentait. Il m'était impossible de leur prouver le contraire, je devais donc me plier aux consignes de mes parents. Je savais que, si quelque chose m'arrivait, les sages de la tribu invoqueraient les esprits des étoiles.

Je devais revoir Renard-Rusé avant de partir : je lui donnai rendez-vous durant la nuit.

Quand je me levai pour aller le rejoindre, j'entendis quelqu'un fouiller dans notre coffre secret. Qui donc pouvait se permettre un tel geste? Je m'habillai et, à ma surprise, je vis que c'était Charles.

- Que fais-tu donc? lui demandais-je.

Dès qu'il me vit, il prit un morceau de linge et le mit sur ma bouche. Il m'était impossible de parler. J'essayai de me débattre, mais je n'en avais pas la force.

Il mit dans un sac des objets qui étaient très précieux pour notre famille. J'essayai de l'empêcher mais, encore là, rien à faire. Je me demandais pourquoi il agissait ainsi. Nous entendîmes quelqu'un se lever dans la maison et, immédiatement, Charles me prit et apporta le sac avec lui. Il me fit monter à cheval et nous sommes partis à toute allure. J'entendis Renard-Rusé crier mon nom, mais il était trop tard : personne ne pourrait plus nous attraper. Ma vie semblait devenir un cauchemar. Nous ne nous sommes arrêtés que lorsque le soleil s'est levé.

- Tu es dorénavant mon esclave, Braise-Vive.

- Tu n'as pas le droit de m'enlever, Charles. Pourquoi fais-tu cela?

- Longtemps j'ai dû vivre seul et dans la misère. Personne ne voulait de moi et les Indiens de la tribu des Appalaches n'avaient jamais voulu me rendre ce qui me revenait. Aujourd'hui j'ai repris des objets qui appartenaient peut-être à mon grand-père et, en plus j'ai quelqu'un qui devra désormais rester à mes côtés; je ne serai plus jamais seul.

- Tu as promis de rapporter des casseroles au village.

- Crois-tu vraiment que j'y retournerai?

- Si tu ne tiens pas parole, les esprits des étoiles laisseront une marque qui ne s'effacera que lorsque tu les apporteras.

- Penses-tu vraiment que je crois en ces histoires?

- Peu importe ce que tu penses, tu verras bien!

Je me retirai un peu pour penser. Je ne savais pas si je reverrais Renard-Rusé et mes parents. La nuit arrivée, nous nous installâmes pour dormir. Au moment où je m'allongeai, je vis de nouvelles étoiles qui scintillaient dans le ciel. Les esprits des étoiles avaient écouté les sages en plaçant de nouvelles étoiles en forme de casseroles. Depuis ce jour, Charles croit en nos esprits, mais ne veut pas retourner au village, de peur d'être tué.

Chaque soir, nous pouvons observer ces étoiles. Maintenant, elles resteront dans le ciel à tout jamais. Tous les Blancs sauront qu'un jour une promesse a été brisée.

Pour ce qui est de Renard-Rusé, je ne le revis jamais. Chaque pétale de la marguerite me révélait son amour pour moi :

Tu m'aimes

Tu m'aimes énormément

Tu m'aimes à la folie

Tu ne m'aimes plus

Tu ne m'aimeras plus jamais

Tu m'aimes un peu

Tu m'aimes

Tu m'aimes énormément

Tu m'aimes à la folie

Je n'ai pas la force de détacher ce dernier pétale car j'ai peur de ce qu'il me révélerait. C'est pourquoi je garderai à tout jamais le message de l'avant-dernier pétale. **Tu m'aimes à la folie**. Tu es peut-être marié maintenant, mais je préfère croire que tu m'aimes encore. Le jour où nos esprits se rencontreront, c'est à ce moment que je saurai ce que signifiait ce dernier pétale.

L'IDIOT DU BORD DE LA RIVIÈRE[44]

Ça s'est passé il y a quelques années, à Treadwell, dans un petit chalet quatre-saisons qui venait à peine d'être rénové et retouché pour le transformer en bungalow.

Les propriétaires, un jeune couple, travaillaient tous deux à Ottawa, le mari chez un grossiste en alimentation fort connu, l'épouse comme institutrice à l'élémentaire. Tous deux étaient nés à Treadwell et voulaient y retourner fonder leur famille, y élever leurs enfants.

Pourtant, depuis leur mariage devant Dieu, la cigogne avait tardé à se montrer. Ils avaient donc choisi de louer leur nouvelle acquisition à un locataire qui accepterait de quitter les lieux dès que l'enfant s'annoncerait. C'était dans la paroisse de Saint-Léon-Le-Grand, durant l'été 1979...

Un homme se présenta chez eux, prêt à accepter leurs conditions. Quand ils ont voulu savoir comment il avait appris qu'ils avaient l'intention de louer leur maison, il répondit : «Suffit de savoir que je le sais!», sur un ton qui n'invitait pas à poser de questions...

L'automne vint et le locataire s'installa dans l'ancienne bicoque, fraîchement peinte, tout près de la rivière : il descendait souvent sur la rive et y restait immobile des heures durant, les yeux rivés vers le large.

Quelquefois au clair de lune, on le voyait marcher, mains dans les poches, pipe aux lèvres, cheveux aux vents. Toujours le même parcours : une brève promenade vers la boîte aux lettres où invariablement il n'y avait pas

de courrier, un retour à la maison dont il faisait le tour; puis, il empruntait l'escalier rustique et descendait près de l'eau et recommençait le même manège, la même immobilité, la même attente, le même regard tourné vers les flots... Le dos voûté, les yeux maintenant vers les cieux, il se remettait en branle et sa silhouette s'avançait, lente, hésitante, vacillante, pareille aux pas d'un ivrogne sur un quai qui tangue.

On entendait parfois son éclat de rire en bourrasques; plus souvent quelques brides d'une triste mélopée emportée par la brise automnale venaient à nous, sanglotantes.

Il est venu parmi nous fin août début septembre : il est resté le temps d'un hiver. Tous les jours le même parcours, la même promenade sur la sente conduisant à la rivière.

Il ne voyait personne, ne parlait à personne, ne se mêlait pas à la vie de la petite agglomération ni aux cultes de la petite église : il vivait seul, loin des yeux curieux...

Un jour, le père Anselme, patriarche du clan Bercier, voulut en avoir le coeur net. Il s'avisa d'aller frapper à la porte de l'étranger. Il avait bien préparé son interrogatoire, l'ayant répété à maintes reprises. L'ermite le reçut avec crainte et esquive, posant plus de questions qu'il ne répondait à l'interpellation que le vieillard avait pourtant si bien répétée... Le père Anselme revint penaud et on en parla longtemps. Encore aujourd'hui, même si cette histoire date de presque vingt années bien sonnées, on continue d'en parler, perplexe, tergiversant sans cesse.

Certains disaient de lui qu'il écrivait, mais il n'envoyait jamais de manuscrit au bureau de poste, ni par la voie de la boîte postale. En tout cas, il n'était sans doute pas célèbre : la télé en aurait parlé; un journaliste ou deux se seraient pointé le bout du nez dans notre petite localité. Pourtant, aucun flash, aucune voiture suspecte n'est venue déranger la tranquille platitude de notre patelin.

D'autres prétendaient qu'il fuyait la justice : mais quel crime aurait-il commis? Il ne semblait pas dangereux, loin de là. Le père Anselme, lui-même aussi peureux qu'un lièvre, l'avait trouvé chétif, maladif, aucunement menaçant : c'était tout dire, venant de la bouche du plus grand péteux de la terre, de ce trembleur-né.

D'autres encore, plus coeur tendre, voyaient en lui une victime d'un amour déçu, d'un amour perdu. Une rupture amoureuse pouvait bien expliquer son comportement, son silence, ses sanglots, son isolement... Mais comment en être certain, puisqu'il ne se laissait aborder par personne.

L'hiver commença de bonne heure cette année-là, avec la première bordée de neige durant la nuit de l'Halloween. Les enfants y trouvèrent leur compte, mais ce drap blanc ne fondit pas et le ciel accumula couverture par-dessus couverture sur cette nappe.

Noël, comme toujours, arriva le 25 décembre et fut célébré dans la petite église, dont les coutures craquaient tant il y avait foule à l'intérieur. Dans la jubé, comme toujours aussi, une chorale improvisée avait répété quelques heures avant la messe de minuit et chantait tant bien que mal, car certains fêtards, déjà passablement éméchés, emportés par leur enthousiasme, joignaient leur voix à l'ensemble vocal. À l'autre bout de la nef, le curé, sourcils froncés, zieutait ces garnements plutôt vieux que jeunes et leur préparait une homélie tonitruante sur les méfaits de l'alcool, sur les bassesses de la luxure et sur le sens véritable qu'il faut donner à la Nativité.

Le locataire, lui, était resté chez lui...

Janvier apporta les froids, les dégels, les pluies verglaçantes, les poudreries, les chutes de neige, les blizzards les plus virulents de mémoire de femme. Au mois de février de cet hiver-là, la cheminée de la maison du bord de la rivière cessa de fumer. Mars fut encore plus rigoureux, les villageois avaient d'autres soucis que de s'occuper du malheureux.

Le printemps vint un matin d'avril. Et, avec lui, le dégel qui *sloche*, boueux... Sur la rive, on retrouva son corps gelé et noirci, la lèvre supérieure retroussée sur ses dents crispées. Et juste à côté, sa pipe brisée...

Aucune trace de lutte, aucune blessure sur le corps du locataire. L'autopsie ne révéla aucun poison, aucune drogue en quantité suffisante pour tuer, aucune marque laissée par le choc d'un objet contondant... Rien, si ce n'était cette fameuse pipe brisée...

Les propriétaires revinrent au printemps, l'épouse avait enfin conçu et ils emménagèrent dans cette demeure qui, jusqu'à aujourd'hui, a servi de toit à leur petite famille.

De l'idiot, aucun indice : il n'avait signé aucun bail, il avait répondu aux exigences du jeune couple qui l'avait trouvé tellement sympathique lorsqu'ils l'avaient rencontré : ils lui avaient loué la maison sur parole...

On l'a enterré dans la fosse commune, non loin de l'église, malgré les objections du curé : une simple croix en bois révèle l'emplacement de ses restes.

Si vous passez par là, arrêtez-vous et allez vous recueillir sur sa tombe: elle exhale des vapeurs de tabac odoriférant et de froides mélopées...

LA VEUVE BÉDARD[45]

«UNE AUTRE VICTIME D'UN MYSTÉRIEUX CARAMBOLAGE»
«La nuit dernière, à la hauteur du Motel de Champlain, à Plantagenet
vers 2 h 15, le conducteur d'un camion-remorque a perdu la vie dans un tête-
à-queue aussi spectaculaire que mystérieux. Le camion descendait la côte,
en provenance d'Alfred et se dirigeait vraisemblablement vers Ottawa lorsqu'il a traversé la chaussée et, selon le seul témoin présent, a semblé freiner
en zigzaguant...

«Maurice Pelletier, le préposé à la station-service Mr. Gas, était en train
de faire les comptes après la fermeture lorsqu'il a été attiré par des phares
pour le moins éblouissants. Il s'est rendu à l'extérieur et a vu le "18-roues"
dévaler la pente à toute allure de façon sinueuse, comme un skieur de slalom
qui tente d'éviter les obstacles.

"Puis là, le tracteur a freiné, mais la boîte était trop pesante et elle a
emporté tout le camion dans une sorte de glissade qui lui a fait traverser la 17
pour aller se loger dans le fossé... Quand le camion est tombé dans le trou, la
remorque s'est décrochée, a levé dans les airs de quelques pieds pour aplatir
le tracteur et son conducteur. Puis, ç'a été l'explosion du réservoir d'es-
sence, probablement à cause du choc des métaux : Bang! Je pense qu'on a
dû l'entendre jusqu'à St-Isidore..."

«Cet accident fortuit demeure par ailleurs assez mystérieux, d'autant plus que la chaussée n'était pas trempée ni gelée, en ce 17 mars 1980. Le temps doux des derniers jours et les abrasifs utilisés par le canton avaient contribué à rendre le route 17 très sécuritaire. On ne peut que demeurer perplexe devant cet événement macabre qui fait suite à deux incidents semblables, à quelques mois d'intervalle seulement et dans un rayon de vingt kilomètres à peine.

«Rappelons que le 6 janvier dernier, jour de l'Épiphanie, un camionneur a perdu la vie lorsque son transport a quitté la route pour buter contre les arbres, dans la courbe toujours glacée et descendante, à quelques kilomètres du Transit Ford, sur la 17, en direction d'Alfred. Le 14 février suivant, jour de la St-Valentin, c'était au tour d'un routier indépendant de mourir, écrasé par les roues de son camion, lorsqu'il est vraisemblablement descendu pour observer on ne sait quoi sur la route, à la hauteur du Camping Chrétien, près de la Nation et du parc provincial Jessup's Falls. Il semble que sa remorque se soit mise à rouler d'elle-même et qu'elle l'ait renversé et écrasé...

«Un détail assez curieux : ces trois événements se sont passés durant la nuit. De plus, c'est arrivé à des camionneurs : s'agit-il d'une simple coïncidence ou du syndrome du sommeil qui frappe les routiers au milieu de la nuit? S'agit-il d'un règlement de comptes entre concurrents?»

- Bon, plus qu'un seul à tuer! dit la femme en jetant le *Carillon* sur la table à café de son salon minable. C'était une dame de trente-huit ans, aux cheveux noirs, teintés de quelques fils blancs, raides et mal coiffés, et aux yeux bruns presque noirs qui ne révéleraient rien à qui chercherait à les sonder. Madame Veuve Bédard, comme on se plaisait à l'appeler depuis qu'elle s'était installée dans la région, louant successivement des chambres, puis des logis dans le village d'Alfred. Son attitude secrète, le fait qu'elle ne semblait manquer d'aucun revenu même si elle ne travaillait pas, son allure générale et le choix de vêtements toujours sombres, tout cela contribuait à faire d'elle un personnage étrange et marginal dont on veut tout connaître et, à défaut, sur lequel on aime fabuler et inventer les pires calomnies...

Les ragots du petit village allaient bon train jusqu'à sa mort; parce qu'elle était bien morte, la Veuve Bédard, et ce depuis l'été 1979, dans un accident de la route, écrasée en plein jour, au milieu de la rue St-Philippe, lorsqu'un camion-remorque, sortant d'une livraison au magasin d'alimentation du village, l'a happée de plein fouet. Mais comment donc pouvait-elle tenir un journal et se moquer du triste sort de ce camionneur mort près du Champlain, si elle était effectivement décédée?...

* * *

Il faut remonter le temps pour bien saisir le drame de cette jeune Européenne. Mathilde Reichenbach vivait paisiblement en Alsace, à la frontière de l'Allemagne et de la France, dans le petit village de Bouxwiller, près de Strasbourg. En 1960, elle était la jeune épouse de Wilhelm Reichenbach, un omnipraticien de dix ans son aîné qui pratiquait dans la capitale. Désoeuvrée dans son petit village de 3 500 habitants, elle s'était déniché un amant, une ancienne flamme de jeunesse avec qui elle avait fréquenté le lycée. Ce jeune homme, Hans, avait fait des études en théologie, puis en démonologie, et tous deux avaient devisé longtemps avant de s'entendre sur un plan pour se débarrasser d'un mari encombrant avec l'aide suprême du Malin lui-même...

Hans, en connaissance de cause, avait jeté son dévolu sur le prince Belzébul et les deux amants avaient profité d'une absence de quelques jours du mari cocu pour se réfugier dans les Vosques et y célébrer une messe incantatoire. Belzébul était venu, semble-t-il, et tous trois avaient signé un pacte : le Malin ferait mourir le docteur en échange de l'âme des deux jeunes amants adultères...

Quelque temps après la mort du médecin dans des circonstances nébuleuses, une enquête policière n'ayant encore une fois rien résolu, le jeune couple quitta l'Europe et s'acheta une fermette dans les comtés de Prescott-Russell, entre les villages de Lefaivre et de Treadwell, aux abords de la rivière des Outaouais. Les noms de monsieur et madame Bédard apparaissaient sur l'acte notarié : on n'avait pas cru bon demander des pièces d'identité, comme cela se fait habituellement, puisque les Bédard payaient comptant, grâce à l'assurance-vie du défunt, et que Maître Charbonneau, bien connu du milieu, les représentait...

Les saisons passèrent dans la plénitude et l'oisiveté qui permirent de faire croire au jeune couple que leur maître les avait oubliés, jusqu'au soir de l'Halloween... On frappa à la porte : Mathilde alla répondre et demanda à la jolie petite blondinette quel boniment elle réciterait pour obtenir des sucreries. La fillette ouvrit la bouche, mais c'est une voix rauque, féroce, sortie des tréfonds de la Terre qui proféra la promesse suivante :

«Mathilde, tu dois mourir! Ton temps est venu! Tu m'appartiens, tu es à moi et je te veux dans l'heure! Fais tes adieux, il est plus que temps! Et suis-moi!...» Le bruit de cette voix péremptoire avait attiré Hans qui reconnut sur-le-champ la présence du Malin dans le corps fluet et gracile qui se tenait dans l'embrasure de la porte. Il était glacé sur place et ne tressauta qu'au moment où Mathilde, prise de panique, cria : «Non! Je ne veux plus de ce pacte! Montre-toi, diablotin de la pire espèce! Je te renie, je te maudis, je te répudie!» Un rire, osai-je dire démoniaque, se fit entendre; la petite fille disparut et la porte claqua dans ses gonds en se refermant avec une telle force que Mathilde fut projetée dans les bras de Hans, quelques mètres derrière l'endroit où elle se trouvait à peine une seconde plus tôt... Les lumières clignèrent, puis s'éteignirent; les murs semblèrent trembler, frissonner plutôt, laissant glisser les cadres qu'ils soutenaient sur les planchers, dans des fracas de verre...

Puis il apparut dans toute sa magnificence : Belzébul, plus grand que leur souvenir, plus menaçant aussi, la sueur suintant de chaque pore de sa peau, le pue quittant les boursouflures putréfiées de sa figure, la bave s'agrippant aux commissures de ses lèvres et aux abords de ses narines... «Mathilde! ma petite cocotte-minute! Je vais te les chauffer, moi!... On ne revient pas sur un pacte avec le Diable!» Mathilde fit montre d'un sang-froid sans pareil et, pendant que Hans sanglotait comme une madeleine, elle dit :

- Ne peut-on pas renégocier les articles?... Par exemple, si je te promettais, disons, cinq âmes en retour de la mienne? Davantage, si tel est ton désir?!

- Intéressant! répliqua Belzébul, toujours méfiant. Mais il me faudrait des âmes impures, sans être profondément damnées. Les âmes damnées, je les recouvre un jour ou l'autre... la tienne, par exemple. Tandis que les impures parviennent souvent à se réchapper en demandant tôt ou tard pardon pour les fautes commises. Je les veux en état de péché, si j'ose dire, frappées au moment où elles s'y attendent le moins et en une fraction de seconde! Ainsi pourrais-je me laisser convaincre de surseoir à notre pacte. Toutefois, si j'acceptais de renégocier, sois assurée qu'il ne s'agirait que de reporter l'échéance, la repousser de quelques années...

- De quelques dizaines d'années...

- Enfin, voyons d'abord ce que tu m'offres... Tu me donnes cinq âmes impures et je t'épargne durant un certain temps, te laissant vivre dans ce petit bled minable; c'est bien ça?

- Oui, à peu près...

- Bon, pour la forme et pour m'assurer de ta loyauté, je prends sur-le-champ ma première âme. Elle n'est pas tout à fait impure, mais elle regorge de remords et de pénitence. Je la prends et te l'offre comme gage de bonne foi.

- Qui est-ce?

- Hans, peut-être?

Mathilde n'eut que le temps de se tourner et d'exploser un «Nooon!» erratique que déjà le pauvre Hans n'était plus qu'une torche humaine qui se calcinait et se désintégrait à vue d'oeil... Quelques instants, puis plus rien : même la moquette où il se tenait avait gardé son lustre, comme si Hans n'avait jamais existé.

- J'aime le travail bien fait, propre, propre, propre...

- Maudit sois-tu! cria Mathilde, s'affaissant sur ses genoux.

- Je le suis depuis une éternité, ma chère. Ton voeu est donc exaucé... Le mien aussi, puisque je me suis offert la jolie petite fillette blonde qui a frappé à ta porte plus tôt : quelle âme! Si délicieusement pure, sauf qu'elle a poussé son frérot dans le fossé et lui a dérobé ses friandises en revenant d'ici.

- Mais... Hans n'est donc pas ta première âme?

- Hans me revenait : il n'a pas choisi de s'opposer au pacte initial signé en Alsace, dans lequel il me demandait de...

- Je sais tout cela, l'interrompit Mathilde, en se levant, incrédule. Mais tu n'as pas le droit! Je demandais qu'on négocie le pacte pour Hans et pour moi!

- Tu n'as pas prononcé son nom...

- Tout de même!

- Discussions inutiles : il est parti!... Ah oui! La fillette s'appelait Régine : son frérot sera heureux d'apprendre qu'elle ne le bousculera plus!

- C'est vraiment dégueulasse, ce que tu as fait là! C'est d'une lâcheté, s'attaquer à une fillette sans défense, atterrer une mère par la perte de sa fille! C'est minable, grotesque, cruel, atroce...

- En un mot : diabolique!... Bon, tous ses palabres m'épuisent. Nous avons bien dit cinq âmes pour la tienne : trouve-m'en quatre autres avant les premières moissons de la nouvelle décennie.

Et il s'éclipsa.

* * *

C'était l'automne de l'année 1978 et Mathilde avait perdu toute raison de vivre, se retrouvant seule dans sa belle fermette, ne connaissant personne si ce n'est la famille de la petite fillette qui était décédée, empalée par une vieille fourche rouillée sur laquelle elle avait vraisemblablement trébuché à quelques pas de son domicile...

Les funérailles firent pleurer tout le village et la cérémonie au cimetière acheva de secouer les moins sensibles. L'enquête policière qui suivit

tourna le fer dans les plaies de tous et chacun, de toutes et chacune et particulièrement dans le coeur déchiré de Mathilde qui était le seul être vivant à
savoir ce qui s'était passé et quelle était la cause de cet affreux «accident».
Elle voulut mourir...

Elle but d'abord une mixture faite de térébenthine et de mort-aux-rats,
mais le liquide sortit presque aussitôt des pores de sa peau, par ses glandes
sudoripares.

Elle descendit sur la berge, portant un sac de jute bien gonflé, et avisa
une chaloupe abandonnée qu'elle emprunta sans plus de cérémonie. Elle
rama jusqu'au milieu de la rivière des Outaouais, jeta l'ancre, ouvrit son sac
et en sortit des poids rudimentaires qu'elle enchaîna à ses chevilles. Elle les
prit entre ses bras et sauta dans l'eau en expirant tout l'air que contenaient
ses poumons : elle espérait devoir inspirer bientôt et donc avaler une très
grande gorgée d'eau... Elle toucha le fond de la rivière et se rendit compte
qu'elle respirait, oui, oui, qu'elle respirait sous l'eau, tel un poisson, comme
si elle possédait des branchies. Même l'eau froide en ce mois de novembre
ne parvenait pas à la faire frissonner. Elle reprit les pesées entre ses bras et
marcha jusqu'à la rive, sortant lentement de l'eau, incapable de retenir ses
sanglots.

Aussitôt en terre ferme, elle se débarrassa de ses chaînes et courut dans
son étable où elle prit une corde et la lança par-dessus une solive nue. Elle fit
un noeud coulant, attacha l'autre bout à une poutre de sorte que le noeud fût
à environ deux mètres du sol. Elle approcha une table sur laquelle elle monta,
glissa le noeud autour de son cou frêle et, de ses pieds, fit basculer la table
pour qu'elle se trouvât suspendue dans le vide. La corde cassa... et Mathilde
chuta au sol, s'esquintant les fesses, mais sans se briser le cou.

Elle refit les mêmes gestes, reprit le même manège en utilisant, cette
fois-ci, une corde vraiment très solide et très grosse : celle-ci ne briserait pas,
pensa-t-elle. Plutôt que de faire basculer la table, la jeune femme décida de
courir sur la table et de se jeter dans le vide : la corde céda derechef et Mathilde
atterrit à plat sur le dos, le souffle coupé, incapable de se relever...

Lorsqu'enfin elle recouvra sa respiration, les yeux remplis d'eau à cause
de l'effort, elle tira, courbaturée, la corde vers elle et celle-ci était brûlée et
encore chaude entre ses doigts.

Mathilde cria de rage et se leva péniblement pour se diriger vers la
maison. Elle entra à grands pas, prit un couteau à l'air menaçant dans la
cuisine et continua vers la salle de toilettes. Elle sauta dans la baignoire,

s'ouvrit les veines des poignets et se proposait de se couper la carotide gauche lorsqu'elle remarqua l'eau fluide et transparente couler le long de ses avant-bras : pas une goutte de sang...

Elle comprit enfin que Belzébul ne lui permettrait pas de mourir avant son heure et que vivre avec les remords et la solitude faisait partie de son calvaire personnel. Elle s'affaissa au fond de la baignoire et se mit à pleurer, hoquetant de désespoir, pendant que les plaies de ses poignets se cicatrisaient... C'est ainsi qu'elle s'endormit.

* * *

Elle vendit sa fermette au printemps et se loua un logis vétuste dans le petit village d'Alfred, à l'étage d'un hôtel minable. Selon ce que lui avait promis le Diable, elle devrait attendre encore quinze ou seize mois avant qu'il ne revienne la chercher : les premières moissons de 1980 se tiendraient fin août, début septembre, selon les gens de la région à qui elle avait parlé.

Elle s'était mise à fréquenter l'église, assistant à la messe tous les jours où elle se célébrait dans la paroisse Saint-Victor. Le soir, elle avait pris l'habitude de marcher sur la rue principale, la rue Saint-Philippe, qui devait bien compter quelques kilomètres d'est en ouest du village. L'insomnie était venue subrepticement remplacer les cauchemars et seule la marche parvenait à la fatiguer suffisamment pour qu'elle tombât épuisée dans un profond sommeil lorsqu'elle se jetait sur son vieux grabat.

Elle reprenait vie vers treize ou quatorze heures, faisait ses ablutions, mangeait un morceau et s'en allait assister à la messe où jamais elle n'osait communier. Puis, la valse des pas revenait, malgré les quolibets des garnements et les sourires amusés des villageois assis sur le perron jusqu'à la tombée de la nuit. Le silence s'installait autour d'elle, mais elle ne pouvait faire taire ces innombrables «La Veuve Bédard! La Veuve Bédard! La Veuve Bédard!» qui continuaient de résonner en elle plusieurs heures après que leurs auteurs, ces enfants aux insultes faciles, dormaient à poings fermés. Elle marchait, marchait, marchait...

* * *

La Veuve Bédard s'habillait toujours en noir et elle marchait courbée, la tête entrée dans les épaules, les mains menues jointes à la hauteur de ses seins, égrenant un chapelet. Elle paraissait beaucoup plus vieille que son âge, mais tout le monde n'a pas le loisir de rencontrer le Diable et de lui tenir tête : ça vous donne un coup de vieux!

Toujours est-il que ce qui devait arriver arriva. Mais beaucoup plus tôt que ne l'imaginait Mathilde, puisque le camion-remorque qui sortait du marché d'alimentation heurta Mathilde en plein mois de juillet 1979, vers quatre heures de l'après-midi alors qu'elle venait justement de faire quelques courses pour préparer sa maigre pitance quotidienne.

Quand le routier descendit de son camion pour constater les dégâts, il fut intrigué par le faciès surpris et figé qu'affichait la femme en noir, comme si elle ne pouvait croire que ceci lui arrivait...

Naturellement, elle était morte. Et, de fait, elle était surprise et choquée à la fois de constater que Belzébul lui-même ne tenait pas parole. C'est d'ailleurs ce qu'elle lui dit lorsqu'il lui ouvrit les portes grinçantes de son domaine infernal. Pour toute réponse, il ricana, puis ajouta :

«Ne sais-tu pas, petite sotte, que 1979 est la première année de la nouvelle décennie? C'est comme lorsque vous fêtez un anniversaire, pauvres humains, par exemple le trentième : en fait, c'est la fin de la trentième année que vous fêtez et, le lendemain, c'est déjà le début de votre trente et unième année d'existence quoique vous disiez avoir 30 ans! De même, les premières moissons de la prochaine décennie se tiennent-elles durant l'été et l'automne de l'an 1979.»

- Mais, c'est aberrant! ce que tu dis là!

- Non, pure vérité!

- Tu triches!!!

- À peine, ma douce, à peine! D'autant plus que ça ne doit pas te chagriner énormément : tu avais perdu le goût de vivre depuis le petit incident de l'automne dernier...

- Mais pourquoi alors m'avoir empêchée de m'enlever moi-même la vie?

- C'est si banal, le suicide, de nos jours! Et je voulais simplement te rafraîchir la mémoire : tu me dois quatre âmes impures...

- Mais je suis morte!?

- Oh, si peu... Tu te situes plutôt entre les deux : tu es au délicieux stade de la *morte-vivante*, du fantôme, de la revenante... Rassure-toi, ce n'est pas une condition éternelle, mais elle durera le temps qu'il faudra...

- C'est-à-dire?

- Jusqu'à ce que j'aie les âmes promises!

- Je ne le ferai pas!

- Ah si! tu le feras, si tu ne veux pas me voir m'attaquer à d'autres enfants dès qu'ils commettent un petit larcin, dès qu'ils content un mignon mensonge, dès qu'ils disent à l'un de leurs parents «Je ne t'aime plus!»...

- Assez! assez! Je remplirai les conditions de mon contrat avec toi.

- Bien, voilà qui est raisonnable...

- Et, qu'obtiendrai-je en retour?

- Rien, absolument rien.

- Mais...

- Si ce n'est le fait de savoir que ta vie, si je puis employer ce mot, n'aura plus aucune incidence sur la mort d'enfants jeunes et purs... À la tombée de chaque nuit, tu redeviendras visible aux êtres humains pendant quelques heures : seuls les hommes te verront. Profite bien de cet état et rends-moi mon dû : tu pourras dormir en paix par la suite.

- En paix? Dans ton royaume?

Belzébul approcha sa figure hideuse à quelques centimètres du visage de Mathilde, son haleine putride empêchant celle-ci de respirer, et il ajouta, railleur : «J'y dors bien, moi!»

* * *

Puis, il disparut et Mathilde se retrouva en plein milieu de la route 17, entre les villages de Plantagenet et d'Alfred, le 6 janvier 1980. Un routier qui roulait depuis l'ouest l'aperçut, toute drapée de linceul blanc, et freina brusquement pour tenter de l'éviter. Son camion fit un tête-à-queue, puis plusieurs tonneaux et la masse métallique alla s'écraser dans la plantation de pins qui tremblèrent sous le choc. «Et de deux!»

Le 14 février, scénario différent : même résultat. «Et de trois!»

Le 17 mars, reprise du premier scénario : même résultat. «Et de quatre!»

Il ne restait plus qu'une autre victime à trouver. Mathilde avait arrêté son choix sur des camionneurs puisqu'elle était décédée sous les roues de l'un de leurs engins infernaux. Elle aurait pu facilement trouver sa dernière proie parmi cette gent masculine, d'autant plus que Belzébul n'en avait pas manifesté de mécontentement : sans doute les âmes des défunts faisaient-elles l'affaire du Diable.

Dans la nuit du 29 mars de cet hiver plutôt long et nébuleux, Mathilde se matérialisa au beau milieu du chemin qui conduisait à St-Isidore-de-Prescott, en passant par Plantagenet. La chaussée était glissante : le verglas tombait depuis quelques heures. Elle entrevit les phares d'un camion-remorque qui se dirigeait droit sur elle. Le chauffeur ne semblait pas encore l'avoir

vue : il sommeillait au volant, sa tête «cognant des clous» de plus en plus lourdement. Et, derrière la banquette du conducteur, un garçonnet de quelque six ans, les cheveux brun foncé et les yeux noisette, regardait droit devant, visiblement intrigué par la tache blanche qui lui apparaissait dans le va-et-vient intermittent des essuie-glace. Puis, il secoua l'homme en prononçant des mots que Mathilde n'entendit pas, mais qui semblaient des cris d'horreur. L'imprudent releva la tête, mais ne vit rien : la Veuve Bédard s'était projetée dans le fossé, évitant ainsi toute manoeuvre du camionneur qui aurait mis en danger la vie de l'enfant.

- Maudit sois-tu! Vermine démoniaque! Tu as encore cherché à me tromper! Tu as voulu me faire porter le blâme et le remords d'un autre enfant?! C'est la guerre que tu veux? Tu l'auras...

* * *

Le mythe de la Veuve Bédard naquit cette nuit-là. Lorsque l'enfant raconta ce qu'il avait vu au centre de la route et, malgré la dénégation du père qui disait n'avoir rien vu, les journaux s'emparèrent de l'histoire et firent très tôt les rapprochements qui s'imposaient avec les autres accidents de transports lourds survenus depuis le début de l'année.

Les camionneurs virent de plus en plus d'apparitions de la fameuse Veuve Bédard. On se mit à en parler dans les familles, lors des rencontres de clubs sociaux divers. Les hebdos en firent des reportages de première page.

Elle prenait parfois l'allure d'une sorcière sortie directement des dessins animés de Walt Disney; d'autres la peignaient sous des traits encore plus sombres, plus féroces, avec des canines démesurées, des yeux rouge feu, de longs doigts effilés et charnus qui se terminaient en serres aussi puissantes que celles des vautours; d'autres encore voyaient un cadavre dépouillé de peau, putréfié, marchant tel un zombi haïtien, au service de quelque esprit maléfique, probablement de Satan lui-même... On évita de prendre la route dès l'obscurité, remettant au lendemain les courses nos essentielles et sortant à plusieurs, armés de fusils, de haches, s'il y avait urgence...

* * *

Toujours assise dans le fossé où elle s'était jetée pour éviter que le chauffeur somnolent ne la vît, Mathilde se souvint d'un homme solitaire qui demeurait près de la rivière des Outaouais dans un chalet quatre-saisons transformé depuis peu en une maisonnette. Elle l'avait aperçu autrefois, - Oh! combien semblait lointain le souvenir de ses promenades en canot avec son

Hans chéri! - ce vieil homme un peu marginal, qui fumait la pipe et chantait à tue-tête sur la berge en regardant le large. Hans et Mathilde avaient bien tenté de le saluer, en bons voisins, d'abord de la main, puis en lui criant des salutations d'usage; rien à faire : il ne semblait pas les voir. La veuve avait toujours été intriguée par cet ermite... Et, ce soir, elle se le rappelait.

En un tournemain, elle fut chez lui et frappait à sa porte. Aucune réponse. Elle réfléchit et comprit tout de suite où il était. Elle vola plus qu'elle ne marcha jusqu'à l'escalier qui conduisait à la rive; elle le dévala et aperçut la silhouette d'un homme, court et trapu, le dos courbé, une pipe accrochée à ses lèvres. Elle s'approcha et il la vit : ses yeux bleus reconnurent aussitôt son épouse éplorée, la femme de sa vie, la grande passion de son passé, là, devant lui. Il sourit et tendit les bras, résigné :

- Tu viens me chercher, Yvette?

- Oui, répondit tendrement Mathilde qui, pour les besoins de la rencontre, s'était vue prendre la forme de feue Yvette...

- Je t'attendais.

- Je sais, Hector. Me voici! Enlève tes vêtements et pose-les devant toi.

L'homme n'hésita pas un instant : il entreprit de se dévêtir, pliant scrupuleusement chaque morceau de linge pour les placer à l'endroit indiqué. Il ne grelottait pas, mais ne quittait pas sa Yvette des yeux : elle aussi était nue. Elle s'approcha de lui et l'enlaça : ils se couchèrent sur le sol, collés l'un à l'autre, comme pour se garder au chaud. La neige avait commencé à tomber, lourde, drue et abondante.

Avant l'aube, Mathilde se leva et regarda son oeuvre : un cadavre déjà bleu par le froid. Elle entreprit de rhabiller cet homme qui avait cru en elle : «Pardon, Hector! Tu étais le seul homme que je connusse à l'âme pure et immaculée! Je devais bien cela à Dieu... et à Yvette qui t'attend là-haut.» Elle recula et mit le pied sur un objet qui se brisa : la pipe du vieil homme! Un rugissement la fit sursauter; elle le reconnut et dit : «Ne t'inquiète pas, sire Belzébul, tu auras ta cinquième âme pas plus tard que la nuit prochaine.» Le soleil qui se pointait à l'est la fit disparaître.

* * *

Minuit, le 31 mars 1980, les portes du presbytère de la paroisse Saint-Victor d'Alfred résonnèrent bruyamment et réveillèrent Monsieur le Curé. Bougonnant, il jeta une robe de chambre par-dessus son pyjama de flanelle à carreaux et descendit au rez-de-chaussée sans prendre le temps d'allumer. Il ouvrit sur un seuil vide et silencieux. Maugréant, il s'apprêtait à refermer lorsqu'il entendit un fracas venant de l'église; son regard aperçut des lueurs suspectes à travers les vitraux latéraux. «Ah! Seigneur! Qu'est-ce que ces garnements me préparent-ils comme poisson d'avril? Vont-ils encore emprunter le crucifix de bois accroché dans le transept? Ou dois-je assister au rapt de la Vierge Marie, cette fois-ci?» Il chaussa ses bottes, prit la clé de l'église et se dirigea vers le parvis.

La porte principale était déjà déverrouillée et entrebâillée: il se glissa doucement dans l'ouverture, prenant soin de ne faire aucun bruit. Il s'arrêta pour que ses yeux s'habituassent à l'obscurité revenue soudainement. Puis, avisant l'allée centrale, il marcha vers l'autel, sur la pointe des pieds, sa figure se crispant chaque fois que le plancher craquait sous son poids. Il avait traversé la moitié de la distance lorsqu'on l'interpella :

- Aidez-moi, pour l'amour du Christ!

La voix lui glaça le sang des veines et il craignit de faire volte-face, pour être confronté à - il ne savait quoi, il était si peureux de nature - quelque force maléfique... Il se tourna malgré tout, lentement d'abord, puis pivotant plus vite à mesure qu'il reconnut la Veuve Bédard, drapée de linceul blanc, la peau quasi-transparente, les traits doux et lumineux; seuls les yeux laissaient entrevoir la hideur de l'âme et la hantise du démon.

- Me voyez-vous, Monsieur le Curé?

Il fit signe que oui. Elle recula, sans le quitter des yeux et, se faisant, s'approcha du bénitier.

- Priez pour moi, Monsieur le Curé, priez pour mon âme damnée!

À ces mots, elle plongea les mains dans l'eau bénite et s'aspergea la figure, les bras, le torse, enfin tout le corps. Elle le fit rapidement, sans un mot. Son corps se mit aussitôt à se consumer, à griller, à flamber dans un relent de viande brûlée... Le curé s'inclina et vomit sur la moquette. Puis il releva la tête et ne vit que les ténèbres; il n'entendit que le silence. Il alla s'agenouiller devant la statue de saint Victor l'implorant d'intercéder auprès de Dieu le Père pour le salut éternel de madame Veuve Bédard. Il pria jusqu'au matin...

Notes explicatives

1. La rivière des Outaouais a eu plusieurs noms au courant des siècles : les Amérindiens l'appelaient «Kittchi-sippi»; Champlain la baptisa «la grande rivière des Algommequins»; les Français l'ont nommée «la Grande Rivière» et les autochtones la rebaptisèrent «la Rivière des Français». Les coureurs de bois, eux, l'appelèrent longtemps «la Rivière du Nord». J'ai choisi, dans la plupart des textes, l'appellation moderne, par souci de clarté.

2. Le Lac des Fées se trouve à la limite ouest de Hull, près du boulevard Gamelin et de la promenade du Lac des Fées. Pour écrire ce texte, je me suis inspiré d'un article du quotidien «LeDroit» paru en 1990, rédigé par Michel Gauthier, sous le titre "Mystères et légendes de l'Outaouais"; d'une chanson écrite par Micheline Scott intitulée "La légende du Lac des Fées"; et de mon enfance tout près du lac.

3. La première fois, Champlain remonta l'Outaouais en 1613.

4. Ouescharini signifie «Petite Nation», nom d'une tribu algonquine qui vivait aux abords de cette rivière. Champlain est le premier à relever ce détail dans ses récits de voyages.

5. Faire tabagie signifie «manger, puis fumer».

6. Autre nom donné au Lac des Fées.

7. Pétuner signifie «fumer ou priser du tabac»; chez les Amérindiens, on fumait le calumet que l'on partageait.

8. Adam Dollard des Ormeaux : on l'appelait aussi Daulard, Daullac, Daulac et Daulat, selon certains historiens. Pour rédiger cette version de son histoire, j'ai consulté, outre les ouvrages d'Histoire du Canada sous le Régime français, un essai intitulé «Messages au frère Trudeau», «Dollard : Héros ou Aventurier?» de Robert Hollier et «La vieille dame l'archéologue et le chanoine. La saga de Dollard des Ormeaux» de Jean Laporte.

9. Variantes : «Onnontagués, Onontongués».

10. Variantes : «Onneyoutes, Onneiouts».

11. Variantes : «Sonnontouans, Taonnontouans».

12. Dans les «Contes et Récits de l'Outaouais», j'emploie invariablement Ville-Marie ou Montréal, de même que Hochelaga ou Québec.

13. J'utilise ici «Sauvages, Amérindiens et Indiens» comme synonymes, sans connotation péjorative.

14. Certains historiens sont d'avis que Maisonneuve n'avait aucune connaissance des préparatifs iroquois avant de donner son assentiment à Dollard et à ses hommes.

15. Les compagnons de Dollard, tout comme celui-ci, ont hérité bien malgré eux de graphies différentes dans l'écriture de leurs noms. Voici la liste des seize compagnons ainsi que les variantes entre parenthèses :
Christophe AUGIER dit des Jardins, 26 ans;
Jacques BOISSEAU dit Cognac, 23 ans;
Jacques BROSSIER (Brassier), 25 ans;
François CRUSSON dit Pilote, 24 ans;
René DOUSSIN (Doucin), 30 ans;
Simon GRENET (Crenet), 25 ans;
Laurent HÉBERT dit Larivière (la Rivière), 27 ans;
Nicolas JOSSELIN (Josslin), âge inconnu, probablement 25-26;
Robert JURIE (Jury), 24 ans;
Jean LECOMPTE (Lecomte ou le Comte), 26 ans;
Alonié DELESTRES (de Lestres ou de Lestre), 31 ans;
Louis MARTIN, 21 ans;
Étienne ROBIN dit Desforges (des Forges), 27 ans;
Jean TAVERNIER dit La Lochetière, 28 ans;
Nicolas TILLEMONT (Tiblemont), 25 ans;
et Jean VALETS, 27 ans.

16. Avironner, canadianisme : «ramer à l'aide d'avirons dans un canot d'écorce».

17. Aujourd'hui, l'île-des-Soeurs.

18. Cet endroit s'appelle la Baie des Sauvages, en Ontario. Toutefois, plusieurs historiens situent encore la bataille plus près de Carillon, au Québec. Selon Hollier, «le lieu ne change rien, mais absolument rien, à l'affaire». J'abonde dans le même sens, puisque c'est l'exploit qui compte...

19. Des historiens suggèrent que Dollard et ses hommes se seraient installés dans un fortin construit par des Algonquins l'année précédente et qu'ils l'auraient solidifié. Des fouilles archéologiques faites durant les années '60 n'ont pas trouvé de traces de forts amérindiens : seulement des pieux coupés à l'aide de haches de métal...

20. Variantes : «Anahotaha, Anahotana»; son prénom : Étienne.

21. Variante : «Mitiwenney».

22. Un fort à gabions est une construction consistant en deux palissades pa-

rallèles éloignées de quelques mètres l'une de l'autre. On remplit le corridor entre les deux de terre et de pierres pour empêcher les plombs et les autres projectiles ennemis de traverser.

23. Un historien en particulier précise que 15 Iroquois sont morts lors de cette première escarmouche.

24. En 1826, quatre-vingt-quatre Étatsuniens meurent à El Alamo en retenant pas moins de 5000 Mexicains en attendant que le général Houston lève une armée de Texans pour aller repousser l'envahisseur. Les Américains ont-ils le culte des héros plus prononcé que nous? Dollard sauva un pays, lui!

25. Ils étaient 100 canots au départ, mais 40 ont fait demi-tour, en cours de route, craignant les embuscades.

26. J'ai rédigé ce texte, d'après une idée originale tirée d'un dépliant publié en 1991 par le Service des communications de la Ville de Hull; il a été conçu et rédigé par Signature Communication.

27. Les commis travaillant dans les postes de traite que les Français ouvraient se faisaient appeler «bourgeois»; certains commerçants répondaient aussi à ce nom.

28. Portager signifie «faire un portage, contourner par voie de terre une chute ou un rapide infranchissable avec une embarcation».

29. Emballotter, canadianisme : «mettre en ballots, en paquets».

30. Inspirée d'une série d'articles parus dans «Le Carillon» de Hawkesbury en août 1983.

31. Cadieux est très populaire dans l'imaginaire collectif canadien-français. Joseph-Charles Taché écrit une version plus que complète de sa complainte dans «Forestiers et Voyageurs». Michel Gauthier, dans un premier article sur les "Mystères et légendes de l'Outaouais", paru le 5 juillet 1990 dans «LeDroit», mentionne deux versions différentes : la première, que l'on peut retrouver chez la défunte maison d'édition Asticou, est rédigée par Robert Potvin; la deuxième, quant à elle, nous vient de Joseph Taillefer qui la mentionne dans son esquisse historique de l'Île-du-Grand-Calumet.

32. On écrit aussi «Témiscamingue», graphie plus moderne.

33. Portageurs, canadianisme : «ceux qui font du portage».

34. Alors âgée de quinze ans, France Viau me remit cette légende dans le cadre d'un cours de français. Trois ans plus tard, je lui ai demandé de polir le texte et de me le soumettre afin de l'inclure dans «Contes et Récits de l'Outaouais». Elle a accepté.

35. Cageux ou Raftman, canadianisme : «personne qui évolue sur des cages de bois, genres de radeaux servant à conduire le bois de l'Outaouais jusqu'à Québec, au siècle dernier».

36. Gappe ou gaffe : «pic ou longue perche munie d'un pic qui permettait aux travailleurs d'attraper les "pitounes", ces bois flottant sur les eaux, dans le but de les déloger et de prévenir les embâcles».

37. Pied : «unité de mesure impériale équivalant à 30 cm».

38. Il existe peu de documents et d'archives au sujet du champ de guérets situé à Rigaud. Sur les lieux, on y parle surtout de l'exploitation des pierres, florissante au début du siècle. J'ai dû me rabattre sur la tradition orale pour rédiger cette légende magnifique.

39. La chasse-galerie, contrairement au texte précédent, est très présente dans les écrits de nos auteurs canadiens-français. Il existe même une version adaptée à la Petite-Nation et rédigée par Jacques Lamarche dans ses «Contes et légendes de la Petite-Nation». Claude Aubry en propose une version dans l'anthologie de Jacqueline Martin, «L'Art de l'Expression Orale et Écrite». Le 1er octobre 1991, la Société canadienne des Postes émet des timbres célébrant les contes populaires, dont l'un illustre la fameuse chasse-galerie. Toutefois, c'est la version d'Honoré Beaugrand qui a fait de moi un admirateur inconditionnel de cette légende. J'y ai d'ailleurs pigé l'essentiel du récit de Jos, le cuisinier, ainsi que les paroles incantatoires...

40. La ville de Hull, tout au long de son histoire, connut sa part d'incendies majeurs. Le «Grand feu» de 1900 s'est révélé une catastrophe incroyable, détruisant les trois quarts de la zone habitée de Hull et un cinquième de la ville d'Ottawa. Était-ce le fruit du hasard?

41. «Le Quêteux» m'a été inspiré par la très belle peinture de Germain Larochelle qui accepta que Le Chardon Bleu s'en serve comme page de couverture du livre ainsi que par un conte populaire de l'imaginaire québécois.

42. «Le Passeur» a existé : la musée d'Argenteuil, près de Cushing et de Carillon en fait foi. Et le Diable, lui, existe toujours.

43. À partir d'un simple jeu anodin, «Il m'aime, il ne m'aime pas...», Catherine Gagné Côté a su rédiger un texte où le mensonge et les apparences conduisent au désespoir...

44. Treadwell est un petit hameau sur la rive ontarienne de la rivière des Outaouais, sis entre Lefaivre et Wendover. On s'y rend en tournant vers

le nord, au carrefour de la 17 et du chemin du village de Plantagenet. L'église Saint-Léon-Le-Grand existe toujours, ainsi que la demeure où est resté le vieil homme.

45. On l'appelait aussi «la vieille Bédard» et une multitude de versions différentes existent au sujet de ses exploits, de ses apparitions, de ses origines... La version que vous lirez est le compte rendu véritable de son passage dans la vallée de l'Outaouais. Parlez-en au curé de Saint-Victor; parlez-en aux habitants de Lefaivre, de Plantagenet et d'Alfred; parlez-en aux routiers, qui jusqu'à ce jour, craignent toujours de prendre la route la nuit...

Bibliographie sélective

BEAUGRAND, Honoré. La chasse-galerie. Montréal : Fides, 1979, 107 p.

Le Conte fantastique québécois au XIXe siècle / introduction et choix de textes par Aurélien Boivin. - Montréal : Fides, 1987, 440 p.

Contes et légendes de la Petite-Nation / réunis par Jacques Lamarche. - Hull : Asticou, 1988, 209 p.

DUPONT, Jean-Claude. Légendes du Saint-Laurent : récits des voyageurs - Sainte-Foy : J.-C. Dupont, 1985, 2 vol.

FRÉCHETTE, Louis. Contes d'autrefois / Louis Fréchette, Honoré Beaugrand et Paul Stevens. - Montréal : Beauchemin, 1946, 274 p.

GAUTHIER, Michel. «Mystères et légendes de l'Outaouais», in LeDroit livraisons de juillet 1990.

HOLLIER, Robert. Dollard : Héros ou Aventurier? Montréal : Horizon, 1963, 128 p.

LAPORTE, Jean. La vieille dame l'archéologue et le chanoine. La saga de Dollard des Ormeaux. Vanier : Interligne, 1995, 143 p.

«La légende des sources», in Le Carillon, livraisons de juillet et août 1983.

MARTIN, Jacqueline. L'art de l'expression orale et écrite : français intégral: centres d'intérêt : légendes du Canada français. Montréal : Ville-Marie, 1983, 3 vol.

MASSICOTTE, E. Z. Dollard et ses compagnons. Montréal : (s.é.),1920.

Mystère et passion... La légende du théâtre de l'île / conçu et rédigé par Signature Communication, publié par le Service des communications de la Ville de Hull, 1991, dépliant.

SCOTT, Micheline. La légende du Lac des Fées / paroles de M. Scott musique de François Groulx et Micheline Scott. Hull : (s.d.)

TACHÉ, Joseph-Charles. «Cadieux», in Forestiers et Voyageurs. Montréal : Fides, 1946, p. 134-142. (coll. Nénuphar)

Remerciements

J'aimerais d'abord exprimer ma gratitude à madame Sophie Legault, de la bibliothèque publique de Hawkesbury, qui a facilité mes recherches durant l'été 1995. Permettez-moi aussi de remercier le Conseil des écoles séparées catholiques de langue française de Prescott-Russell qui, par le biais de monsieur Denis Vaillancourt et de madame Sergine Bouchard, m'a permis d'obtenir une subvention à la publication. Un merci spécial à madame Solange Fortin, de la Fondation franco-ontarienne, pour sa courtoisie et son empressement. Je tiens à remercier madame Anne Lengellé, conseillère pédagogique du Centre franco-ontarien des ressources pédagogiques, qui n'a pas hésité à appuyer ce projet. Un dernier merci, à mon épouse Ginette, pour son appui, ses conseils et son sens critique très aigu : ç'a été ma première lectrice...

M.S.

Table des matières

COLLECTION *POÉSIE NOUVELLE*

- Collectif. **Miscellanées, Recueil de poésie.** 1994, 64 pages.

- Réjeanne Pilotte-Soucy. **Femme au quotidien. Poèmes.** (titre provisoire; à paraître).

- Marc Scott. **Maux d'amour. Textes poétiques.** (à paraître).

COLLECTION *PREMIER ROMAN*

- Jeannine Boyer Danis. **En longeant la berge. Roman poème.** 1996, 96 pages.

COLLECTION *PATRIMOINE*

- Marc Scott. **Contes et Récits de l'Outaouais.** / avec la collaboration de France Viau et Catherine Gagné Côté. 1996, 160 pages.

La maison d'édition LE CHARDON BLEU accepte les manuscrits et en fait une évaluation gratuite. Son comité de lecture vous retournera ses commentaires ainsi que votre manuscrit de deux à quatre mois après la réception.

Vous pouvez écrire à l'une des deux adresses pour de plus amples détails. Nous vous assurons de notre entière discrétion et du respect intégral de vos droits d'auteur(e).

Séparation de couleurs et film de couverture
Impression et reliure
Imprimerie Plantagenet

ISBN 1-896185-02-9
Imprimé au Canada